Finlandia
Azja
OCEAN
SPOKOJNY
(PACYFIK)
OCEAN
INDYJSKI
Australia
EAN POŁUDNIOWY
NTARKTYDA

Nela mała reporterka

Burda NG Polska Sp. z o.o. Sp. Komandytowa
Licencjobiorca National Geographic Society
ul. Marynarska 15, 02-674 Warszawa

Burda NG Polska Sp. z o.o. Spółka Komandytowa.
02-674 Warszawa, ul. Marynarska 15

Dział handlowy: tel. (48) 22 360 38 38, fax (48) 22 360 38 49
Sprzedaż wysyłkowa: Dział Obsługi Klienta, tel. (48) 22 360 37 77

Redakcja: Melanż
Korekty: Redaktornia.com, ekorekta24
Projekt graficzny: Maciej Szymanowicz
Redaktor prowadząca: Agnieszka Radzikowska
Redaktor techniczny: Mariusz Teler

Zdjęcia: archiwum prywatne, Shutterstock, Tarja Konstig

Druk: Perfekt, Warszawa

www.burdaksiazki.pl

NATIONAL GEOGRAPHIC

Nela mała reporterka

NELA

NA KOLE PODBIEGUNOWYM

SPIS TREŚCI

CZEŚĆ!

Nazywam się Nela i mam jedenaście lat. A to jest już moja szósta książka ☺. I właśnie w niej zabiorę cię w niezapomnianą podróż na koło podbiegunowe! Odwiedzimy Islandię, Finlandię i Grenlandię! Uwielbiam mroźne przygody! A te będą wyjątkowe i mam nadzieję, że wybierzesz się tam ze mną! Pojedziemy w psim zaprzęgu, spotkamy maskonury i poszukamy lodofoki grenlandzkiej!

Świat jest cudowny i oczami wyobraźni możesz podróżować ze mną oraz przeżywać wspaniałe przygody! Pakuj się i wyruszamy!

Nela

PS. Zapraszam cię do śledzenia moich przygód z podróży po świecie na **TVP ABC** oraz na **www.facebook.com/podrozeneli**
Czekam na twoje wiadomości ☺.

W TEJ KSIĄŻCE ZNAJDZIESZ DUŻO, DUŻO DODATKOWYCH TREŚCI MULTIMEDIALNYCH POUKRYWANYCH W TAJNYCH KODACH!

BAW SIĘ Z NELĄ!

Szukaj tajnych kodów w książce i oglądaj filmy!

Specjalnie dla ciebie została stworzona darmowa aplikacja See More, którą możesz pobrać w różnych sklepach:

Download on the App Store

GET IT ON Google play

Aplikacji szukaj w sklepach po haśle See More lub szukaj łapki

Aplikacja działa w systemach: Android i iOS. Pamiętaj! Aplikacja jest bezpłatna! Pobierz ją na telefon lub tablet. Po uruchomieniu zobaczysz tajne ślady ☺.

A jak klikniesz „skanuj", otworzy się skanujące oko! Szukaj nim w książce ukrytych kodów. Skanuj je i sprawdzaj, co się pod nimi kryje! Aby korzystać z aplikacji musisz mieć dostęp do internetu

Miłej zabawy! ☺

GDZIE JEST KOŁO PODBIEGUNOWE? ☺

Cześć! Zanim rozpoczniemy nasze przygody na kole podbiegunowym, muszę ci opowiedzieć, gdzie ono jest, żebyś dokładnie wiedział, gdzie będziemy! Zdradzę ci pewną tajemnicę. Na Ziemi są dwa koła podbiegunowe. Jedno jest na północy Ziemi (czyli na górze mapy), a drugie na południu (czyli na dole mapy). Górne nazywa się **północnym kołem podbiegunowym**, dolne to **południowe koło podbiegunowe**!

Nazwy brzmią podobnie, ale to zupełnie inne miejsca. Dlatego nie daj się zmylić, jeżeli ktoś kiedyś spyta cię o koło podbiegunowe; zanim odpowiesz, upewnij się, o które pyta! Chociaż to równie mroźne miejsca, to trochę się różnią między sobą i żyją tam inne zwierzęta! Zaraz ci o tym opowiem... ☺

Ale najpierw nauczmy się odnajdywać koło podbiegunowe na mapie lub globusie!

Popatrz na mapę, widzisz te linie? To równoleżniki. Przeczytaj ich nazwy, każdy nazywa się inaczej.

My będziemy na północy, czyli na **północnym kole podbiegunowym** ☺. Znajdziesz je?

Przypatrz się mapie. Każdy równoleżnik okrąża Ziemię dookoła. Nasze koło podbiegunowe również. Przechodzi więc przez wiele, wiele państw. My odwiedzimy kilka z nich, poruszając się właśnie wzdłuż **północnego koła podbiegunowego**. Pojedziemy do Finlandii, Islandii i Grenlandii.

SPRAWDŹ, GDZIE BĘDZIEMY!

ARKTYKA

Zobacz, to widok na naszą górną część kuli ziemskiej.

To tak, jakbyś patrzył na globus z góry. Widzisz, gdzie biegnie nasze koło podbiegunowe? Zauważ, że przecina różne państwa, potrafisz wymienić jakie?

Jeżeli masz globus, też możesz zrobić taki eksperyment i spojrzeć na globus od góry. Rzadko tak się na niego patrzy, prawda? A zobacz, ile rzeczy można zauważyć.

ANTARKTYKA

Popatrz też na globus od dołu. Widok będzie taki:

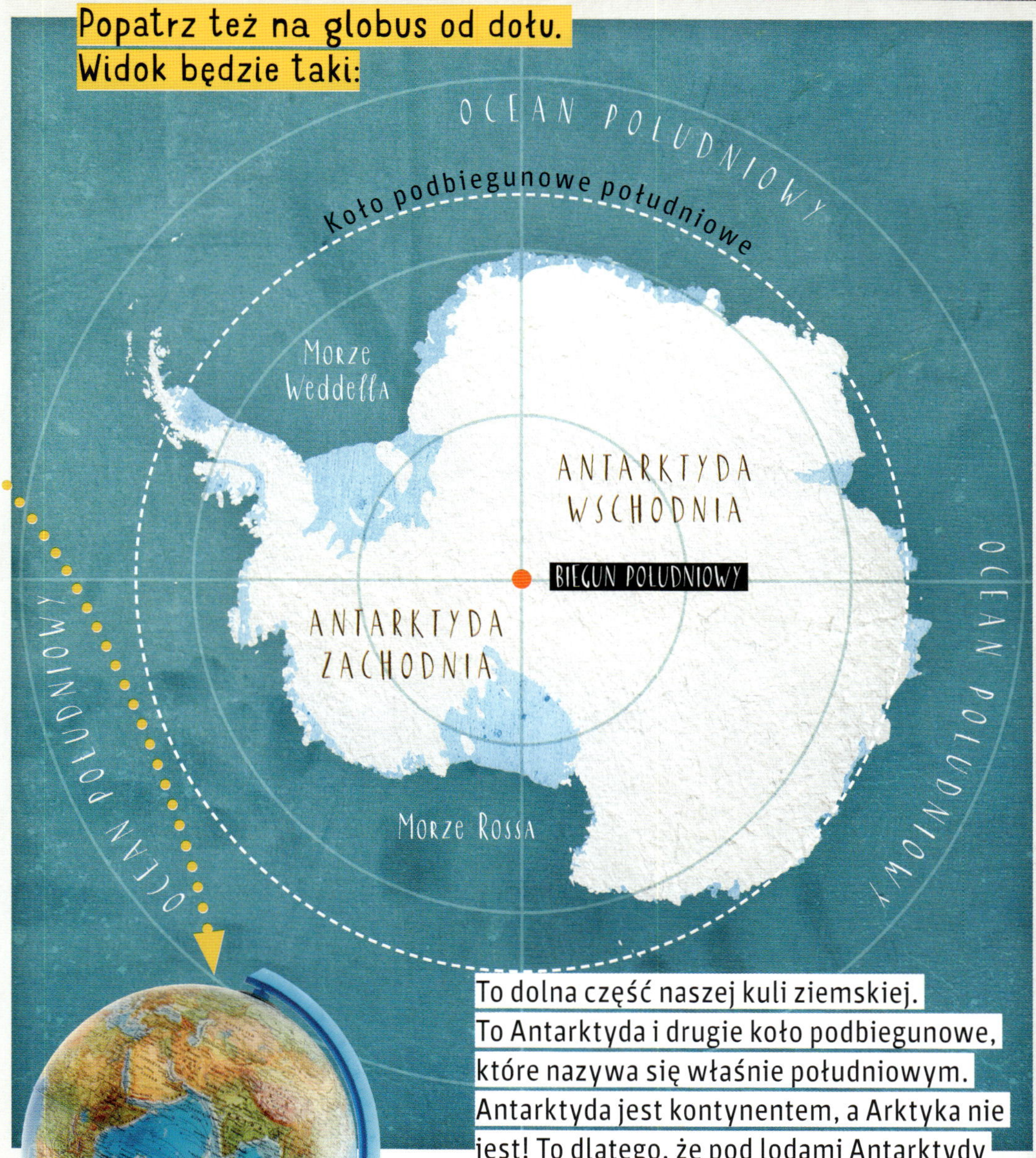

To dolna część naszej kuli ziemskiej. To Antarktyda i drugie koło podbiegunowe, które nazywa się właśnie południowym. Antarktyda jest kontynentem, a Arktyka nie jest! To dlatego, że pod lodami Antarktydy jest ziemia, a pod lodami Arktyki nie.

Teraz czas na superciekawostki!
Arktykę i Antarktykę
zamieszkują inne zwierzęta!
CO MOŻNA ZOBACZYĆ NA ANTARKTYCE, CZYLI NA DOLE?

Lamparta morskiego!

Zobacz! Tam jest lampart morski!
Leży na dużej bryle lodu.
Przybliżę go. Z bliska tak wygląda!

Pingwiny!

Jak myślisz, te pingwiny
wychodzą z wody
czy do niej wchodzą? ☺

Na biegunie północnym, czyli w Arktyce, można za to spotkać niedźwiedzie polarne, białuchy czy lodofoki grenlandzkie! ☺

Oczywiście to nie wszystkie zwierzęta, które tam mieszkają. Podałam tylko przykłady. W każdym razie, jeżeli już wiesz, jaka jest główna różnica pomiędzy Arktyką i Antarktydą, możesz zapytać kogoś dorosłego:

DLACZEGO NIEDŹWIEDZIE POLARNE NIE POLUJĄ NA PINGWINY??? ☺

Odpowiedź: Bo żyją na innych biegunach! ☺

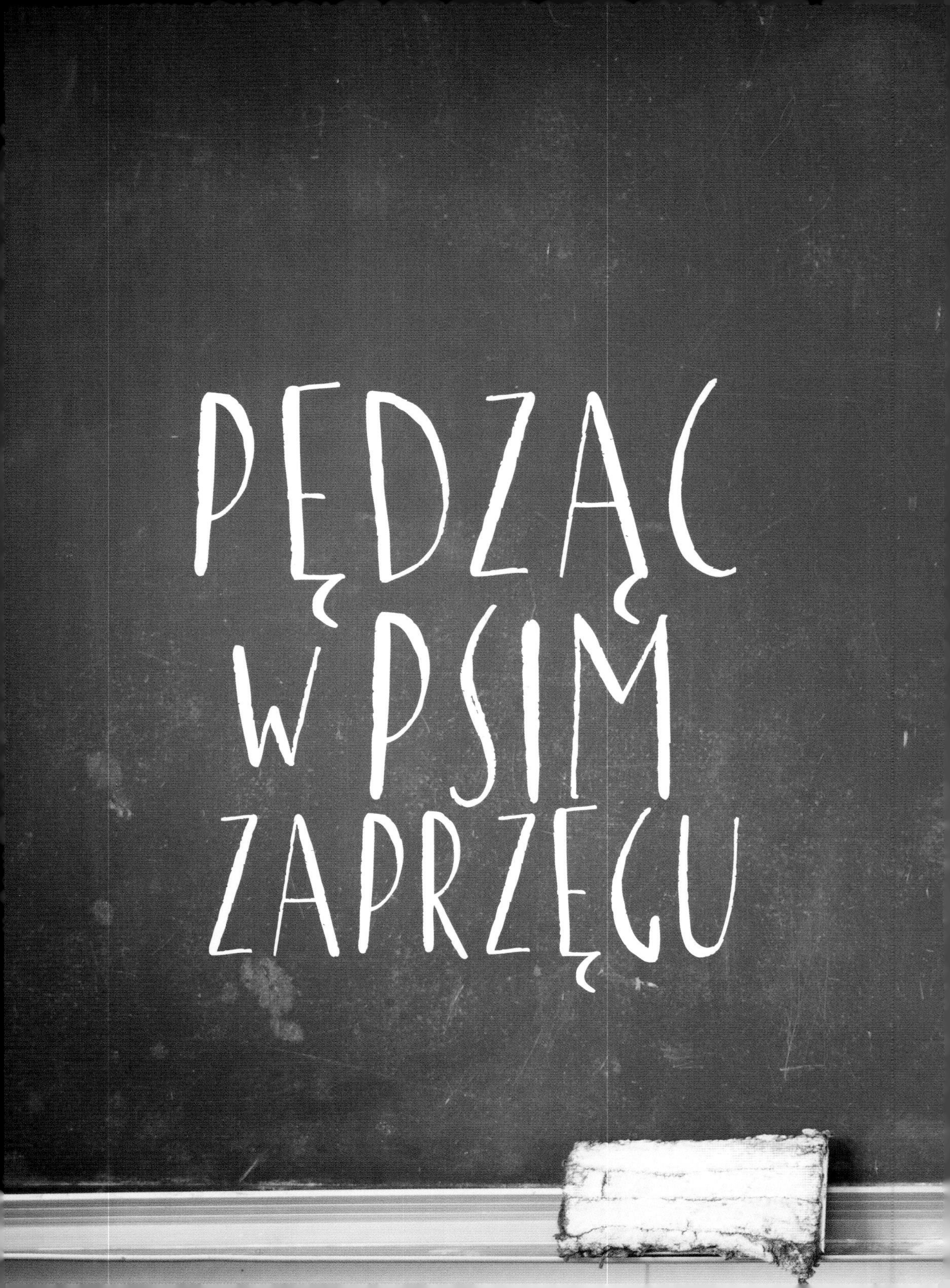
PĘDZĄC
W PSIM
ZAPRZĘGU

Dziś polecimy do Laponii. Laponia często opisywana jest w bajkach jako magiczne i fantastyczne miejsce. Niektórzy mówią, że mieszka tam Święty Mikołaj, inni opowiadają o ukrytych skrzatach czy o reniferach pędzących w śnieżnych zaspach. Jednak gdy spojrzysz na mapę, to jej nie znajdziesz. A wiesz dlaczego?... Może dlatego, że jest magiczna?... ☺ Tak magiczna, że jednak nie istnieje??? ☺

Żartuję! Zdradzę ci sekret. Taki, którego pewnie nie zna niejeden dorosły! Laponia to kraina! Czyli nie jest państwem zaznaczonym na mapie, tylko pewnym obszarem Ziemi, który nazywa się Laponią, a znajduje się na terenach czterech państw: Rosji, Norwegii, Szwecji i Finlandii!

DLACZEGO LAPONIA JEST TAKA FAJNA? ☺
BO NA NIEKTÓRYCH MAPACH NIE ISTNIEJE ☺.

POPATRZ NA MAPY.

To jest mapa państw, gdzie nie jest zaznaczona kraina Laponia (taką mapę z reguły widzisz w szkołach).

A to jest mapa, na której jest zaznaczona tajemnicza kraina Laponia ☺.
To ja zaznaczyłam ją specjalnie dla ciebie!

Porównaj ze sobą te dwie mapy i spróbuj odszukać na tej pierwszej Laponię ☺.

JAK DOTRZEĆ DO LAPONII Z POLSKI?

Jak już wiesz, Laponia nie jest państwem, ale krainą położoną na obszarze czterech państw: Rosji, Szwecji, Norwegii i Finlandii. Leży w Europie, co oznacza, że jest dość blisko Polski. Musimy wybrać jedno z tych państw, aby zobaczyć Laponię. Proponuję więc polecieć do Finlandii. Podróż samolotem będzie trwała około trzech godzin. Polecimy najpierw do miasta Helsinki, czyli stolicy Finlandii. A tam przesiądziemy się w drugi samolot do miasta Rovaniemi.

Laponia to kraina mrozu, zwierząt polarnych oraz niezwykłej zimowej przyrody! Można tam spotkać pewne zwierzęta, które od zawsze mnie fascynowały. To psy husky (czytaj: haski).

Zawsze marzyłam o tym, żeby tam pojechać i zobaczyć je na własne oczy, w ich prawdziwym domu. Poczuć, jak szczęśliwie gnają przed siebie... Zobaczyć, jak ciągną sanie... i znaleźć się na tych saniach ☺, wśród ogromnych śnieżnych zasp...

Czy ty też byś tak chciał?
Ja bardzo!!! Postanowiłam więc
spełnić to marzenie i tam pojechać.

Mam nadzieję, że wybierzesz się ze mną i przeżyjemy niesamowitą i mroźną przygodę! ☺

Przed podróżą musimy się oczywiście spakować. Do Laponii polecimy w lutym, czyli w czasie śniegów! Co więc zabierzemy ze sobą? Ja na pewno wezmę:

- ciepłą czapkę i kominiarkę zimową,
- rękawiczki, ale takie, w jakich można zginać palce, żeby łatwiej chwytać różne rzeczy,
- szalik,
- kurtkę,
- ciepłe i nieprzemakalne spodnie na śnieg,
- nieprzemakalne buty śnieżne, sięgające aż do kolan, na wysokie zaspy!

Nie mogę iść spać,
kiedy dookoła
jest tak biało ☺.

Jeżeli już się spakowałeś, możemy wyruszać! A moja przygoda zaczęła się tak…

Była noc, kiedy doleciałam na lotnisko w miejscowości Rovaniemi w Finlandii. Szybko znalazłam busik, który zawiózł mnie do małego hoteliku przy jednej z głównych dróg. Dochodziła północ, ale na szczęście ktoś w recepcji nie spał i dał mi klucze do małego pokoju, który był przybudówką do garażu na ganku.

Czas zanurkować w śniegu!

Zobacz, jakie piękne domki!

Powietrze było chłodne, aż chciało się coraz głębiej oddychać i poczuć ten mróz w płucach... Śnieg chrupał pod nogami, a wszystko dookoła pokrywała miękka i delikatna warstwa śniegu. Tak idealna i gładka, że wydawała się namalowana, a nawet w niektórych miejscach doczepiona.

Weszłam do swojego pokoju, ale tylko po to, by zostawić plecak i szybko wyjść na dwór. A wiesz po co? By rzucić się w najbliższą zaspę śnieżną i udawać, że płynę...!!! ☺ Nie mogłam się powstrzymać! Już dawno nie widziałam takiej ilości śniegu!!! Nie można przecież przylecieć do krainy mrozu, widzieć śnieżne zaspy i iść spokojnie spać, prawda? Nawet o północy! Trzeba się w tym śniegu trochę poturlać, żeby mieć o czym śnić!!! ☺

I wiesz co? Wcale nie było mi zimno. Było nawet przyjemnie! Pewnie ogrzewał mnie entuzjazm. Jednak nie mogłam się tak długo turlać w śniegu, bo rano musiałam wcześnie wstać... Jak już tak ponurkowałam do utraty sił, doszłam do wniosku, że trzeba się jednak położyć...

Muszę już iść spać... – pomyślałam i skierowałam się do pokoju. Wyciągnęłam śpiwór i szybko usnęłam, myśląc o jutrzejszym dniu... psim zaprzęgu, husky... i wielkich zaspach śniegu...

SKĄD SIĘ WZIĘŁY HUSKY? PIĘKNE PSY O LODOWYCH OCZACH?

Husky pochodzą z różnych rejonów mroźnej Syberii w Rosji.

Podobno kiedyś, bardzo dawno temu właśnie na Syberii, gdzie było bardzo, bardzo zimno, ludzie stwierdzili, że potrzebują silnych i wytrzymałych psów pociągowych, czyli takich, które pomagałyby im w ciągnięciu sań i transporcie upolowanej zdobyczy.

Stworzyli więc bardzo wytrwałą rasę psów. Te psy nazwane zostały siberian husky, czyli husky syberyjskie! Nazwa pochodzi właśnie od rejonu, w którym powstała ta rasa, czyli od Syberii!

Husky od dawna pomagały ludziom na Syberii pokonywać dłuuugie odległości. Są wytrzymałe i uwielbiają biegać!

A JAK MYŚLISZ, CO HUSKY UWIELBIAJĄ NAJBARDZIEJ?

Odpowiedź to: biegać, biegać i biegać ☺, a ponieważ ciągnięcie sań mają od kilkuset lat we krwi, to zastanów się: trudno czy łatwo prowadzić je na smyczy?

Podobno wcale nie tak łatwo, ale można je tego nauczyć i stać się dla husky „przywódcą" stada ☺. Często husky wolą jednak „ciągnąć" właściciela, zgodnie ze swoją naturą, tak jak właśnie ich przodkowie zostali kiedyś nauczeni ciągnięcia sań ☺.

Podobno husky spuszczony ze smyczy potrafi pognać w siną dal, nie oglądając się za siebie i udając, że nie słyszy wołania właściciela. Właśnie takie są husky! Nieokiełznane ☺. Mimo że są udomowione, to czują w sercu swoją dziką naturę. To jest fantastyczne!

Popatrz na to zdjęcie!
Mówi samo za siebie ☺.
Co husky lubią najbardziej?

Nie daj się zmylić
tej mince...

HUSKY BARDZO LUBIĄ BIEGAĆ I MAJĄ DUŻO ENERGII, ALE JAK SĄ MALUCHAMI, TO WOLĄ JEDNAK SPAĆ ☺.

Zobacz, ile szczeniaczków! Chciałbyś takiego? Ja bardzo!

Te szczeniaczki już trochę urosły ☺. Fajne, prawda?

CZY HUSKY WYJE JAK WILK?

Husky są z wyglądu podobne do wilka. Szczególnie te, które mają wilczy kolor sierści! I podobnie jak wilki nie szczekają, tylko wyją. Może nie tak superdokładnie jak wilki, ale bardzo podobnie. Zamiast szczekać, próbują coś powiedzieć, „powyjując" ☺. Słychać to tak, jakby chciały szczeknąć, ale wychodzi im krótkie wycie... takie zawodzenie. Są do tego bardzo gadatliwe. Więc wyją przy każdej okazji! Jak są smutne, wesołe, gdy mówią do ludzi czy innych psów, a nawet kiedy są same ☺. Możesz więc sobie wyobrazić, jaki jest hałas podczas ciągnięcia sań, kiedy w zaprzęgu pędzi osiem lub dziesięć husky i każdy chce coś powiedzieć ☺.

Zeskanuj kod QR i zobacz, jak „wyją" husky, które ciągnęły mój zaprzęg ☺.

Czy taki maluch może już próbować wyć? ☺

Jaki kolor sierści ma husky?

Mogą być różnych kolorów!
Brązowo-białe, czarno-białe, czarne, „wilcze", a nawet całe białe!
Mogą mieć też różne kolory oczu: niesamowicie błękitne, brązowe albo nawet jedno oko brązowe, a drugie niebieskie! Często zdarzają się właśnie husky o różnych kolorach oczu.

Husky bardzo lubią śnieg (tak jak ja ☺). A czy ty lubisz śnieg? Jeżeli tak, to byłbyś świetnym przyjacielem do zabaw dla psa husky. Moglibyście razem jechać w zaprzęgu, chodzić na mroźne spacery albo okładać się śnieżkami!!! ☺ Którą zabawę wybierasz???

Rankiem dojechałam na hodowlę husky. Jak już wiesz, to są bardzo energiczne zwierzęta, które MUSZĄ się wybiegać, a ciągnięcie sani to jedno z ich ulubionych zajęć. Husky doskonale wiedziały, że niektóre z nich zostaną wybrane do zaprzęgu, więc każdy „wył" ile sił, żeby wybrać właśnie jego.

Zobacz, to mój kombinezon ☺.

Ja ubrałam się w specjalny jednoczęściowy kombinezon, który chronił przed zimnem i roztapiającym się śniegiem. Poczułam się jak prawdziwy polarnik wyruszający gdzieś daleko w nieznane...

Okazało się, że podróż w psim zaprzęgu wcale nie jest taka łatwa. Najpierw trzeba przejść szkolenie, żeby wiedzieć, jak kierować saňmi. Psi zaprzęg jest bardzo silny, zawsze więc na saniach z tyłu musi stać jedna osoba, aby w razie czego wcisnąć hamulec bezpieczeństwa. Psy mogą przecież pognać hen przed siebie. A jak takie psy biegną, to trudno je zatrzymać, bo jak wiesz – one kochają biegać.

Dlatego sanie z tyłu mają specjalny metalowy hamulec, który wygląda w taki sposób.

Zobacz, to jest hamulec sań. Czyli specjalny metalowy kolec, który po naciśnięciu wbija się w śnieg i zatrzymuje sanie, a razem z nimi zatrzymuje też psy ☺.

Są dwa takie kolce,
które znajdują się tutaj,
po obu stronach płóz.

Wystarczy nacisnąć stopą metalową poręcz, do której są przyczepione, i wbić kolce w śnieg. Dodatkowo trzeba wiedzieć też, jak się zachować, gdy sanie się wywrócą! Bo przecież nie tylko nad psami trzeba zapanować, ale i nad wybojami śniegu na drodze!

Dlatego mój instruktor od psiego zaprzęgu nauczył mnie prawidłowo prowadzić sanie!

Jeżeli sanie się przewrócą i upadniesz, to ich nie puszczaj! Jak będziesz miał szczęście, to psy się zatrzymają i będziesz mógł ponownie stanąć na saniach.

NO TO CO? GOTOWY NA PRZYGODĘ W PSIM ZAPRZĘGU?

Szkolenie trochę mnie przestraszyło.

Hm... – zaczęłam się zastanawiać. – Myślałam, że psi zaprzęg to będzie rodzaj kuligu, a psy będą grzeczne i posłuszne... A tu okazuje się, że jeżeli nad nimi nie zapanujesz, to mogą cię ponieść gdzieś daleko w głąb lasu...

Na szczęście instruktor będzie jechał przed nami na skuterze śnieżnym i pomoże w razie potrzeby.

– *Do you want to drive or stay inside?* (Chcesz prowadzić czy siedzieć w środku?) – zwrócił się do mnie nagle instruktor i oderwał mnie od myśli o strasznym lesie, wilkach i niedźwiedziach...

– *Inside...* (W środku...) – odpowiedziałam po chwili namysłu... Chyba fajniej będzie siedzieć w środku sań, niż stać na nich z tyłu. A ty co byś wybrał? Siedzenie w saniach? Czy kierowanie? Pamiętaj, że siedząc w środku, nie masz najmniejszego wpływu na psy! Jeżeli wybierzesz siedzenie w saniach, to ktoś musi stanąć na płozach i kontrolować to, co się dzieje.

– *OK!* (Dobrze!) – powiedział instruktor, zgadzając się z moim wyborem.

– *Come, you have to meet somebody!* (Chodź! Musisz kogoś poznać!) – dodał po chwili i poszedł w kierunku psów. – *This is Popov and Flav!* (To jest Popov i Flav!) – przedstawił mi psy i je pogłaskał.

– Ojej... Cześć! – powiedziałam i przytuliłam się do piesków. Były bardzo miłe i machały ogonami. Wiedziały, że zaraz wyruszymy razem przez zaspy.

To ja, Popov i Flav.

Instruktor przypiął je do szelek, następnie do sani i przyprowadził kolejne psy.

Razem było ich sześć w zaprzęgu. Na przodzie oczywiście byli liderzy, czyli psy alfa, które kierują pozostałymi. Popov i Flav nie były liderami, ale za to znajdowały się najbliżej mnie, bo zaraz przed saňmi. Bardzo je polubiłam i ciągle coś do nich mówiłam, ale one chyba mnie za bardzo nie słuchały... Były za bardzo szczęśliwe, że zaraz zaczną biec.

Wsiadłam do sań. Przykryłam się dodatkowo kocem, żeby było ciepło, i czekałam na dodatkową osobę, która będzie stała z tyłu na moich saniach. Po chwili mogliśmy ruszać.

Tu jest światełko
od skutera śnieżnego
mojego instruktora.

Instruktor pojechał przodem na skuterze, a za nim ruszyły psy. Szarpnęły tak mocno, że ledwo zdążyłam się czegoś złapać... Wyły przy tym co chwila i rwały do przodu jak szalone...

– Uał! – Krzyknęłam krótko... Ale nie był to krzyk strachu, tylko bardziej zaskoczenia. Nie sądziłam, że sanie ruszą z takim impetem, a psy będą aż tak silne.

Instruktor powiedział, że jeden husky może pociągnąć około 50 kilogramów. Sześć psów może w takim razie pociągnąć około 300 kilogramów!!! Wyobraź więc sobie, jaka to siła!!! 300 kilogramów może ważyć średniej wielkości niedźwiedź polarny. Czyli sześć psów w zaprzęgu mogłoby ciągnąć niedźwiedzia w saniach ☺. Ale to byłby śmieszny widok!

Kierowaliśmy się do lasu. Chociaż nie było późno, panował lekki półmrok. Niebo było całe szare i w ogóle nie było słońca. Psy gnały coraz szybciej, a ja patrzyłam, jak ścieżka zamienia się powoli w tunel. Zaspy po jej bokach były coraz wyższe. Czasami nie widziałam nawet, co się za nimi znajduje...

– Ale fajnie! – powiedziałam po chwili... Nie będzie aż tak źle. Psy biegły po ścieżce, a zaspy po bokach były tak wysokie, że trudno byłoby zboczyć z trasy. Na razie się nie zgubimy – pomyślałam. – Gorzej, jak wyjedziemy na bardziej płaski teren...

Udało mi się lekko wychylić i spojrzeć za siebie. Za nami jechało kilka innych sani zaprzężonych w psy. Wszystkie szczekały z emocji i wrażeń... Widać było, że są szczęśliwe.

W lesie nie było słychać nikogo więcej. Byliśmy tylko my, psy i sanie, które ugniatały miękki śnieg. Jechałam tak może z pół godziny, kiedy nadszedł czas na odpoczynek.

Skanuj kod QR i zobacz, jak jechałam w psim zaprzęgu!

Instruktor stanął, wszystkie sanie zahamowały i psy razem z nimi. Popov obejrzał się w moim kierunku, tak jakby pytał, czy mi się podoba, i czekał na pochwałę ☺.

– Jest super, Popov! – powiedziałam do niego, a on zamachał ogonem.

Psy nie mogły się doczekać dalszego biegu. Korzystały z okazji, by jeść śnieg z pobocza, który roztapiał im się w pyskach. W ten sposób piły. A wiesz, co się dzieje, gdy sześć psów stoi w zaprzęgu i jeden chce spróbować śniegu z prawej strony,

Tu jeszcze stoją w rzędzie w miarę prosto.

Tu już jeden doszedł do wniosku, że idzie w lewo, i pociągnął inne za sobą.

Nagle drugi pomyślał, że jest fajniej po prawej stronie, i tam poszedł, a wszystkie pozostałe musiały iść za nim.

a drugi z lewej? Zaczyna się taniec... ☺ Wystarczy, że jeden będzie chciał iść w lewo, i wszystkie równo będą musiały się przesunąć w lewo. Kiedy drugi zechce iść w prawo, to wszystkie będą musiały iść w rzędzie w prawo. Wygląda to dość śmiesznie. Popatrz!

I tak cały zaprzęg chodził przez chwilę w lewo i w prawo... w lewo i w prawo... w prawo i w lewo... a ja tylko patrzyłam ze zdziwieniem... Co one wyrabiają???

Wreszcie poplątały tak mocno swoje szelki i liny, że instruktor musiał je rozplątywać, byśmy mogli ruszyć w dalszą drogę...

Jechałam tak może jeszcze z godzinę. Psy pędziły w mrozie i śniegu... Patrzyłam na nie i widziałam, że właśnie to było dla nich najważniejsze... Szalony bieg przed siebie ile sił w łapach!... W dzikiej, mroźnej przyrodzie! A ich energię i radość czuć było w ich każdym kroku, zawyciu i sapnięciu. Na chwilę, siedząc w saniach, zamykałam oczy, czułam mróz na twarzy i wsłuchiwałam się w ich wycie... Wtedy czułam się tak jak one... Jakbym była częścią tej magicznej, białej krainy!

Czasami też chciałam zawyć...
Ale nie mów tego nikomu ☺.

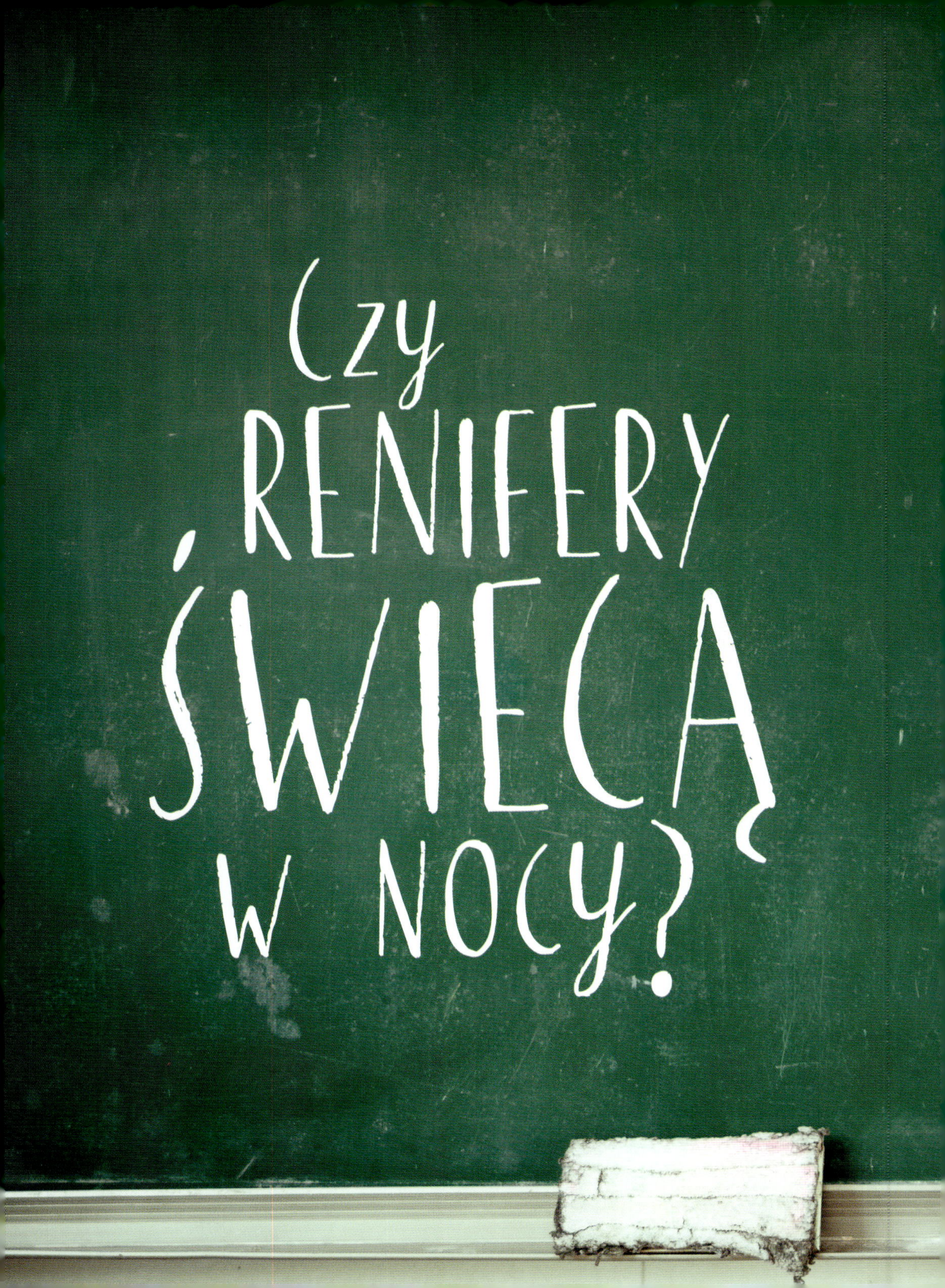
Czy
RENIFERY
ŚWIECĄ
w NOCY?

Cześć! Cieszę się, że dalej razem podróżujemy. Dziś pojedziemy odwiedzić renifery! To super-zwierzęta, które wyglądają przesłodko. Żyją właśnie w Finlandii, gdzie teraz jesteśmy, więc będziemy mogli je zobaczyć ☺.

Oczywiście wiesz już z poprzedniej przygody, gdzie leży Finlandia. A teraz popatrzmy na mapę. Co ci przypomina kształt tego kraju?

To niesamowite, że często kształty państw przypominają właśnie zwierzęta, które można w nich spotkać. Pamiętasz Tajlandię? Ma kształt głowy słonia i mieszkają tam słonie. Peru? Ma kształt śpiewającej lamy i żyją tam lamy.

A Finlandia? Według mnie ma kształt renifera! Zobacz sam, co widzisz?

To mapa Finlandii.
Ale wystarczy ją przekręcić, lub przechylić głowę w bok, żeby zobaczyć taki kształt i wyobrazić sobie renifera!!! Super, prawda?

Spójrz, to przekręcona mapa Finlandii. Co widzisz? Ja widzę renifera, który ma jeszcze małe rogi ☺.

Norwegia
Rosja
Finlandia
Szwecja
Zatoka Botnicka
Helsinki

Musisz wiedzieć, że w Finlandii wszystkie renifery są hodowane. Czyli są czyjeś. Nawet gdy chodzą sobie po lesie i wyglądają na niczyje, to i tak do kogoś należą. Tak powiedział mi pewien fiński hodowca reniferów, którego odwiedziłam.

Chciałabym ci właśnie opowiedzieć o mojej przygodzie w hodowli reniferów, bo była naprawdę niezwykła i dowiedziałam się niesamowitych rzeczy... a na koniec zdobyłam specjalne uprawnienie ☺.

A moja przygoda zaczęła się tak... Byłam w Finlandii niedaleko koła podbiegunowego. Tego ranka padał bardzo, bardzo obfity śnieg. Lecące z nieba płatki były bardzo grube. Zlepiały się ze sobą i falując, wolno opadały. Chwytały się przy tym wszystkiego. Drzew, gałęzi, dachu, rynien, a nawet okien.

Z chwili na chwilę krajobraz stawał się coraz bardziej bajeczny. Czułam się jak Gerda w Krainie Mrozu wyglądająca przez zamarznięte okno... Mróz potrafi malować naprawdę niezwykłe obrazy. A ja uwielbiam na nie patrzeć i odnajdywać rozmaite fantastyczne kształty! Jestem pewna, że też to bardzo lubisz, prawda?

A co widzisz na tym oknie? Co namalował mróz?

Patrzyłam przez okno i piłam ciepłe kakao. Czekałam, aż przyjedzie busik, aby zabrać mnie do hodowli reniferów. Miałam gotowy lekki plecak, do którego spakowałam dodatkowe skarpety i rozgrzewające wkładki do butów, na wypadek gdybym bardzo zmarzła.

Wreszcie nadjechał samochód… Wsiadłam i wyruszyliśmy w kierunku hodowli.

Droga była cała biała. Jechaliśmy wolno po ubitym śniegu. Nie wiem, jak gruba była warstwa śniegu na ulicy, ale asfaltu nie było w ogóle widać. Dlatego musieliśmy poruszać się naprawdę bardzo ostrożnie, żeby nie wpaść w poślizg. Finlandia w zimę właśnie tak wygląda. Cała pokryta jest śniegiem… Nawet drogi!

Czas mijał mi wolno. Wyglądałam przez okno i starałam się znaleźć jakiś napis lub drogowskaz informujący o hodowli reniferów. Wreszcie skręciliśmy z głównej drogi w las… w równie białą, ale węższą dróżkę…

To chyba tu!… – pomyślałam zachwycona i wyjrzałam przez okno.

Jechaliśmy między drzewami jeszcze wolniej niż dotychczas. Zauważyłam nagle rogi wystające zza jednego z drzew.

Hm… – pomyślałam. – Chyba wiem, kto tam się chowa… ☺

POPATRZ NA TO ZDJĘCIE! CZY WIDZISZ RENIFERA?

Ja go dostrzegłam tylko dlatego, że się poruszył, i podjechałam bliżej. Ale jakby stał cały czas nieruchomo, trudno byłoby go zauważyć, prawda?...

Gdzie jest renifer?

Renifery tak naprawdę nie mają rogów, tylko poroże. A wiesz, czym się różnią rogi od poroża? Rogi są na stałe, tak jak na przykład u krów. A poroże jest zrzucane przez zwierzę. Renifery mają poroża, czyli takie rogi, które im wyrastają co roku, a następnie po roku odpadają. Czyli są „zrzucane". Jeżeli gdzieś w książce napiszę, że renifer ma rogi, to znaczy, że chodzi mi o poroże i używam takiego skrótu. Ale ważne, by w praktyce umieć odróżnić poroże od rogów, OK?

U reniferów zarówno samiec, jak i samica mają poroża. W przeciwieństwie do jeleni. U jeleni tylko samiec je ma!

Zwróć uwagę, jaki ma kolor sierści. Dokładnie taki jak otoczenie, czyli brązowy jak kora drzew i biały jak śnieg...

Hm... – zaczęłam się zastanawiać. – W Finlandii nie zawsze jest supermroźno. Na wiosnę i latem lasy i łąki są zielone... Czy wtedy renifery zmieniają kolor sierści, by przypominać mech? ☺ I stają się zielone??? Jak myślisz?

WYOBRAŻASZ SOBIE ZIELONEGO RENIFERA? ☺ PEWNIE BY TAK WYGLĄDAŁ, ZOBACZ.

Zielony renifer byłby super. Ale niestety istnieje tylko w moich marzeniach! Jednak powiem ci, że to nie jest do końca niemożliwe. Pamiętasz przecież leniwce? Te słodkie zwierzaki wiszące na drzewach w lasach deszczowych na Kostaryce? Opowiadałam ci wtedy (w książce ze słonikiem na okładce), że niektóre leniwce potrafią mieć zielonkawą sierść. To dlatego, że czasami porastają je takie jakby glony.

To leniwiec mieszkający w lasach tropikalnych. On nie mieszka w Finlandii! Niektóre leniwce mają zielonkawy kolor sierści przez glony, które je porastają ☺.

Przyroda jest niesamowita i nieprzewidywalna, może więc kiedyś również renifery porosną mchem czy glonami ☺. Zmienią kolor na zielony i nikt już nie będzie się dziwił, jak zobaczy „renifera z moich marzeń" ☺.

Dziś nie ma zielonych reniferów, ale za to istnieją takie, których rogi świecą w ciemności. Tym razem nie żartuję! I nie są to oczywiście magiczne renifery z wioski Świętego Mikołaja ☺.

Popatrz na te zdjęcia, są w stu procentach prawdziwe!

SUPER, ŻE WYMYŚLONO ŚWIECĄCE RENIFERY!

Podróżując po Finlandii, musimy jednak pamiętać, że nie każdy renifer może mieć pomalowane poroże oraz że renifery zrzucają poroża. Więc i tak należy uważać na drogach! Zobacz, renifer zrzucił poroże. Ono powoli odczepia się im od głowy, aż wreszcie całkiem odpada.

Jak myślisz, dlaczego ich poroża świecą w ciemności? Ja nie mogłam w to uwierzyć, ale okazało się, że w Finlandii niektórzy hodowcy malują rogi reniferów specjalnym płynem, który odbija światło i w ten sposób świeci. Hodowcy robią to celowo, żeby renifery były widoczne na drogach, bo jak wiesz, chodzą zupełnie swobodnie również po ulicach! Hodowcy długo zastanawiali się, co zrobić, żeby poprawić bezpieczeństwo i ludzi, i reniferów. Spotkanie z reniferem jest szczególnie niebezpieczne w nocy, na nieoświetlonej drodze, przy padającym śniegu... Kiedy prawie nic nie widać przez okno. Myśleli, myśleli, myśleli... Co tu zrobić, żeby renifery były widoczne na drogach? I wymyślili! Pomalujemy reniferom rogi! Płynem, który będzie dla nich bezpieczny, a będzie odbijał światła samochodów. I w ten sposób powstały świecące renifery! ☺ Super, prawda?

To chyba jedna z najfajniejszych rzeczy, jakich się dowiedziałam o reniferach podczas mojej wyprawy do Finlandii!

Dojechałam do hodowli. Busik się zatrzymał, a ja wyszłam prosto na mięciutki śnieg. Hodowca już na nas czekał.

– *Hello!* (Cześć!) – powitał nas miłym głosem.

– *Hello!* – odparłam szczęśliwa, że dotarłam na miejsce i zaraz spotkam renifery.

– *Welcome to the reindeer farm!* (Witam na farmie reniferów!) *Come, you have to meet somebody!* (Chodź, musisz kogoś poznać!) – powiedział do mnie hodowca i wskazał na ogrodzenie, za którym stał śnieżnobiały renifer.

– Uaaał... Jaki jest piękny! Nazywał się Snowflake (czytaj: snołflejk), co po angielsku oznacza „płatek śniegu". Bardzo pasowało do niego to imię!

– *Do you want to do the „Reindeer Driving Licence"?* (Czy chcesz zrobić „prawo jazdy na renifera"?) – spytał.

Jak to? – zaczęłam się zastanawiać... – Prawo jazdy na renifera?... A co to takiego?

Na czym polega kierowanie reniferem?... Jak myślisz?

– *Yes*... (Tak...) – odparłam niepewnie, bo wciąż nie wiedziałam, co dokładnie miałabym zrobić i na czym polega „kierowanie reniferem". Zrozumiałam to po chwili, kiedy zobaczyłam sanie.

Muszę wsiąść do sani i poprowadzić renifera, który będzie te sanie ciągnął. A że renifer nie zawsze idzie tam, gdzie chcemy, to nie będzie łatwa sprawa. Ale najpierw przywitam się z nim i zaprzyjaźnię.

– Cześć, maluchu...! – powiedziałam i podeszłam do renifera. Nie był wcale taki mały. Nie miał rogów, bo zrzucił poroże. Właśnie dlatego przypominał mi małego reniferka, takiego, który niedawno się urodził. Słodziak, prawda?

A jak najszybciej zaprzyjaźnić się z reniferem? Jak myślisz? Ja postanowiłam zdobyć jego zaufanie czymś smacznym. I to chyba był bardzo dobry pomysł. Rozejrzałam się dookoła. Na ogrodzeniu wisiał worek z przysmakami dla reniferów. Jak się domyślasz, musiało być tam coś niesamowicie pysznego i trudnego do zdobycia w zimie w Finlandii... Wiesz, co tam było? Pachnący mech!

PRZYSMAK RENIFERA! ☺

Jak zdobyć serce renifera?

Dać mu mchu! ☺

Zobacz, jak wygląda menu renifera!

* MENU *

Jak zaprzyjaźnić się z reniferem?

Cześć! Zaprzyjaźnimy się? ☺

Co mi pokazujesz? Że mech jest pod śniegiem i trudno go wyjąć?

Proszę, ten mech jest dla ciebie!

Smakuje mu! Nawet trochę mlaszcze ☺.

Chyba cię pozdrawia! Powiedziałam mu, że opiszę go w książce, i poprosiłam o uśmiech do zdjęcia! ☺

Zaprzyjaźniłam się z reniferem, a on dał mi się pogłaskać.

Teraz będzie na pewno łatwiej zrobić „prawo jazdy na renifera" – pomyślałam i przytuliłam się do niego.

– Pomożesz mi, prawda? – wyszeptałam mu do ucha, a on jakby zrozumiał, bo skinął głową...

W takim razie czas zaczynać! Trasa, którą przejadę w saniach, nie będzie bardzo długa. Obejrzałam ją, żeby lepiej się przygotować i wiedzieć, co mnie czeka.

Hm... – pomyślałam. – Całe szczęście, że jest ogrodzona. Renifer nie pogna gdzieś daleko przed siebie... Może jedynie stanąć i nie chcieć ruszyć. W takiej sytuacji nie uda mi się uzyskać „prawa jazdy na renifera". Muszę pokazać, że potrafię nad nim zapanować ☺.

Wsiadłam do sani. Do prowadzenia renifera nie było lejców, tylko długi sznur, którym należało odpowiednio dotknąć renifera lub lekko go pociągnąć, żeby renifer wiedział, gdzie ma skręcić. Opiekun reniferów szybko wytłumaczył mi wszystkie polecenia, jakie należy wypowiadać do renifera i jak trzymać sznur, po czym szybko dodał:

– *Are you ready?* (Jesteś gotowa?) – Nie czekał jednak na moją odpowiedź, bo zaraz po tym krzyknął: – *GO!* (Jedź!)

Tę trasę będę musiała
przejechać w saniach,
kierując reniferem!

A to są sanie,
w których będę siedzieć.

HEJ, RENIFERKU!
KTÓRĘDY DO ŚWIĘTEGO MIKOŁAJA? ☺

Renifer ruszył...

Trzymałam mocno sznur, aby nie wypadł mi z rąk, i pognałam w saniach.

– Uaaał... Ale to jest super! – powiedziałam zachwycona. Strach minął i podziwiałam zimowe widoki. Zrobiłam kilka kółek, a renifer cały czas się mnie słuchał. Był tak posłuszny, że nawet sam opiekun był bardzo zdziwiony. A na koniec zdobyłam specjalne „prawo jazdy na renifera" ☺. Ciekawa jestem tylko, czy Święty Mikołaj takie ma. A ponieważ jestem tuż obok jego miasteczka, to chyba pójdę go odwiedzić.

Idziesz ze mną? ☺

Wioska
Świętego
Mikołaja

Cześć! Dziś dotrzemy na linię koła podbiegunowego w Finlandii. To właśnie tu, w Rovaniemi, znajduje się wioska Świętego Mikołaja ☺, a koło podbiegunowe przechodzi dokładnie przez nią! Zawsze chciałam ją odwiedzić, a dziś moje marzenie się spełni! Mam nadzieję, że i tym razem pojedziesz ze mną i sprawdzimy, co robi Święty Mikołaj i jak wygląda jego wioska.

Popatrz, gdzie będziemy!

Zdradzę ci sekret, którego pewnie nie zna niejeden dorosły! Powiem ci, jak dotrzeć do wioski Świętego Mikołaja, i narysuję dla ciebie specjalną mapę! Dzięki temu, że sama tam dotarłam, mogę teraz narysować drogę, żebyś ty mógł tam się dostać ☺.

We wszystkich bajkach, jakie znam, zawsze opowiadano, że Święty Mikołaj mieszka na kole podbiegunowym. Opowiadano o skrzatach i świątecznych skarpetach, w których mieszkają dobre duszki wychodzące z nich po północy. O magicznych reniferach, które ciągną sanie po niebie tak szybko, że ledwo można je dostrzec, i które wyglądają jak gwiezdny pył...

Nie wiem, czy renifery potrafią latać, ale już sprawdziłam, że niektóre mogą świecić w nocy ☺. A ty jak myślisz? Czy renifery potrafią latać?... ☺

Bardzo się cieszę, że właśnie jestem w Laponii i będę mogła zobaczyć, co się tu faktycznie dzieje i ile rzeczy z tych bajek jest prawdziwych ☺.

Do wioski Świętego Mikołaja wybrałam się po południu. Szybko zrobiło się ciemnawo, więc poczułam się jak w wieczór świąteczny. Wszystkie domki zbudowane z drewna podświetlone były światełkami. Paliły się i migotały w różnych kolorach. Niektóre były całe żółte. Inne świeciły

na czerwono, zielono, a nawet niebiesko. Gdzieniegdzie słyszałam dzwonki, których dźwięk dochodził z oddali. Wtedy przystawałam na chwilę, bo chciałam dosłyszeć, skąd dochodzą. Śnieg pod stopami przestawał chrupać, a ja wsłuchiwałam się w ciszę...

Czasami myślałam, że to wiatr świszczał, a ja wcale tych dzwonków nie słyszałam. Ale gdy tylko ruszałam dalej, razem z chrupaniem śniegu pojawiały się też dzwoneczki!

Hm... – Stanęłam i pomyślałam zupełnie zmieszana: to dziwne, że jak idę, to słyszę dzwoneczki sań lub magicznych reniferów. Może w ten sposób chcą mi wskazać właściwą drogę? ☺

Śniegu było jak zwykle bardzo dużo. Z trudem pokonywałam kolejne zaspy. A w pewnym momencie szłam zanurzona już po kolana w białym puchu...

Wreszcie przeszłam za ogromną śnieżną górę i ujrzałam wioskę.

– To tu! – krzyknęłam uradowana. – Dotarłam!

Byłam tak szczęśliwa, że chciałam aż podskoczyć z radości, ale śnieg nie za bardzo pozwalał mi się poruszyć. Znasz to uczucie, kiedy stoisz w śniegu tak głębokim, że

ledwo ruszasz nogami? To tak, jakbyś był przykryty bardzo ciężką kołdrą. Albo kilkoma kołdrami!... Właśnie tak się w tym momencie czułam. – Muszę się wydostać z zasp... – stwierdziłam i ciężko ruszyłam dalej w kierunku wioski,

Zobacz!
Tak wygląda
zorza polarna.

stawiając wolno kroki. Wyglądało to trochę tak, jakbym poruszała się w zwolnionym tempie.

Pomału robiło się coraz ciemniej. Stanęłam na chwilę i uniosłam wzrok. Patrzyłam na horyzont i szukałam zorzy polarnej… Tak bardzo chciałam ją zobaczyć! W niektórych bajkach opowiadają, że zorza polarna pojawia się właśnie nad wioską Świętego Mikołaja. Jest jakby drogowskazem na niebie, za którym należy iść… Ale to tylko bajki… Czytałam, że zorza polarna to pewne niesamowite i przepiękne zjawisko, które można zaobserwować na kole podbiegunowym przy bezchmurnym niebie. Ale dziś niestety niebo było zachmurzone… Może dlatego jej nie widziałam. Pewnie była gdzieś nad chmurami…

Skanuj kod QR i zobacz, jak wygląda zorza polarna!

A WIESZ, CO TO JEST ZORZA POLARNA?

To światło na nocnym niebie, które przybiera rozmaite kształty i kolory. Może być zielone, różowe czy fioletowe. Ale nie pojawia się w każdym miejscu na Ziemi, tylko właśnie przy kole podbiegunowym. Popatrz na to zdjęcie, czy widzisz jeszcze jakieś inne kolory?

JAK POWSTAJE ZORZA POLARNA?

Zorza polarna to wiatr słoneczny, który po wybuchu na Słońcu leci w kierunku Ziemi i uderza o naszą atmosferę. Wtedy na biegunach powstaje energia, która ukazuje się na niebie w różnych kolorach i tworzy taniec świateł.

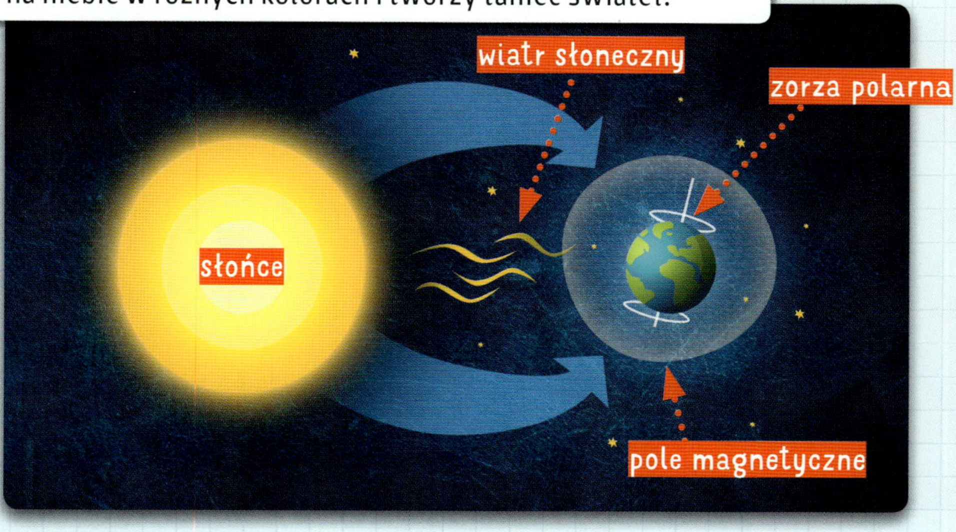

Z wioski dochodziły dźwięki świątecznej muzyki i śmiech dzieci. A ja z każdym krokiem czułam się bardziej szczęśliwa. Wreszcie wyszłam z zasp i szybko powędrowałam na główny plac wioski, na którym znajdowała się ogroooomna choinka. A obok niej stał chyba największy śnieżny bałwan na świecie!

Patrzyłam na niego i zastanawiałam się: ciekawe, jak tego bałwana ulepili? Jak myślisz? Ile osób potrzeba, by zrobić tak ogromne kule śniegu?

A potem trzeba przecież jeszcze ułożyć je na sobie. Czyli albo ze Świętym Mikołajem oprócz skrzatów mieszkają też wielkoludy, albo użyto jakichś maszyn, żeby ustawić je na sobie. Bo człowiek nie zdołałby zrobić tego sam!

Niedaleko bałwana stała choinka. Też była ogromna i przepiękna. Migotała tysiącami malutkich światełek, które wyglądały jak gwiazdki.

– Uaaał... – powiedziałam i zakręciłam się dookoła na jednej nodze. – Tu jest magicznie! – krzyknęłam i podskoczyłam.

Dookoła mnie spacerowali ludzie, było też bardzo dużo dzieci, które podobnie jak ja wyglądały na zachwycone tym miejscem. Naprzeciwko głównego placu stał największy budynek – to był dom Świętego Mikołaja. Miał ogromne drzwi, które przypominały mi bardzo ciężkie wrota.

Po bokach placu znajdowały się mniejsze budynki. Nagle z jednego z nich wyszedł czerwony ludzik i szybko wszedł do drugiego budynku, zamykając drzwi z impetem. Nie widziałam dokładnie, kto to był. Powoli nadchodziła noc, ale księżyc nie świecił. Pozostał mi więc tylko blask lampek, ale i w nim trudno było rozpoznać postać, która przemknęła. Kto to był? Lub co to było? ☺ Uśmiechnęłam się do siebie i poszłam w kierunku drzwi, za którymi zniknął.

Podeszłam do budynku. Najpierw spojrzę przez okno... – pomyślałam i wolno wychyliłam głowę. Oczy migotały mi z wrażenia, bo nie wiedziałam, co zaraz ujrzę... Może to był skrzat???

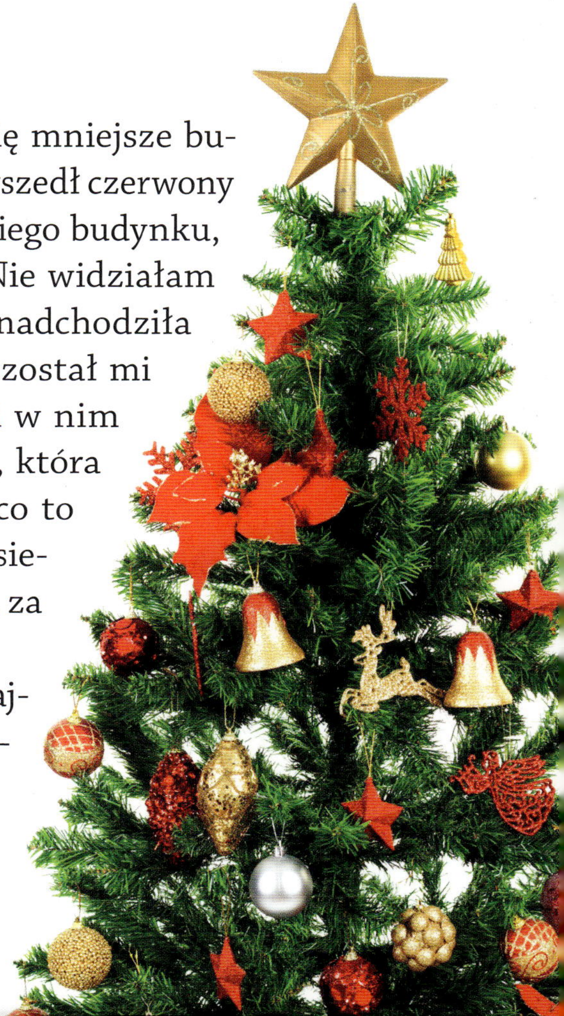

Spojrzałam przez okno i zobaczyłam niesamowity widok. Budynek, do którego zaglądałam, to była poczta Świętego Mikołaja! W środku znajdowały się różne osoby przebrane za skrzaty, które skrzętnie segregowały listy. Był tam też sklepik z pocztówkami, gdzie turyści mogli kupić kartki, znaczki i inne pamiątki albo nawet zostawić list do Świętego Mikołaja. Muszę tam wejść! – doszłam do wniosku i otworzyłam ostrożnie drzwi.

– Uaaał!!! To tu trafiają listy wszystkich dzieci z całego świata zaadresowane do Świętego Mikołaja! – Ucieszyłam się.

To nowa dostawa listów, która właśnie dotarła na koło podbiegunowe. Te listy zostaną zaraz posegregowane. Zobacz, ile listów dostał Święty Mikołaj!

Spojrzałam w głąb sali. Stała tam specjalna szafa z półeczkami. Wielka na całą ścianę! Każda była osobno opisana nazwą jakiegoś państwa. A były to najróżniejsze zakątki Ziemi! Chiny, Argentyna, Indie, Włochy, Australia, nawet mało znane komu wyspy Tonga na Pacyfiku... Od razu zaczęłam szukać półki z napisem „Polska". Ciekawe, czy są tu moje listy! – pomyślałam. A co ty byś zrobił na moim miejscu? Czy też sprawdzałbyś, czy twoje listy dotarły? ☺

Szukałam i szukałam, lecz niestety nie znalazłam półki z napisem „Polska". Zresztą nie było też wielu, wielu innych państw... Hm... Dlaczego? Jak myślisz?

Już wiem! Zrozumiałam! Listy z Polski już na pewno trafiły do Świętego Mikołaja! Dlatego ich tu nie ma! Bo gdzie indziej mogłyby być? ☺

Hm... A skoro już o nim mowa... To gdzie on jest? Chodźmy go odwiedzić! ☺

Skierowałam się ponownie na plac z choinką i podeszłam do drzwi domu Świętego Mikołaja. Były otwarte. Weszłam do środka i ruszyłam korytarzem, aż dotarłam do kolejnych drzwi. Przy nich była strzałka i napis, że prowadzą do Świętego Mikołaja. Był też znak, że nie wolno robić zdjęć, więc schowałam aparat fotograficzny do kieszeni. Za drugimi drzwiami znowu był korytarz, schody i ponownie korytarz, który prowadził do kolejnych, już trzecich drzwi! Stanęłam przed nimi i zapukałam.

Po chwili drzwi się uchyliły, a zza nich głowę wystawił pomocnik Świętego Mikołaja, w stroju bardzo podobnym do tego, jaki widziałam na poczcie.

– *What's your name?* (Jak masz na imię?) – spytał.

– Nela – odpowiedziałam.

– *And where are you from?* (I skąd jesteś?)

– *From Poland* (Z Polski) – odpowiedziałam.

Listy z Polski są już u Świętego Mikołaja! Idziemy do niego!

– Proszę! – odezwał się nagle po polsku i wpuścił mnie do środka.

– Dziękuję. – Bardzo się zdziwiłam, że zna język polski.

Za drzwiami wisiała ciemna kotara, którą z trudem podniosłam, aby przejść dalej. Nagle znalazłam się w pięknym ciepłym pokoju. Był z drewna, a przy jednej ze ścian stała niesamowita choinka, sięgająca aż po sam sufit. Na środku pokoju stał fotel, a w nim siedział... Święty Mikołaj!

W ręku trzymał prezenty. Spojrzał na mnie i dał znak, bym podeszła bliżej.

Podeszłam. Święty Mikołaj spojrzał na mnie, lekko unosząc brew, i spytał, czy byłam grzeczna... Po czym

uśmiechnął się, nie czekając na odpowiedź, i dodał, że moje życzenia się spełnią! ☺☺☺

Nie wiem, czy to był prawdziwy Święty Mikołaj. Nie widziałam magicznych reniferów i prawdziwych skrzatów. Ale gdy wracałam z wioski, cały czas wydawało mi się, że słyszę dzwoneczki, a życzenia napisane w liście naprawdę się spełniły!

A czy ty napisałeś już list do Świętego Mikołaja? ☺

LODOŁAMACZEM
przez
ZAMARZNIĘTE
MORZE

Cześć! Dziś zostaniemy jeszcze w Finlandii. Zabiorę cię na superwyprawę lodołamaczem, którym będziemy płynąć przez zamarznięte morze. Nigdy wcześniej nie przeżyłam takiej przygody, a zawsze pragnęłam. Czasami oglądałam w telewizji statki, które płynęły po mroźnym morzu, dookoła nich unosiła się kra, a nawet gigantyczne góry lodowe! Myślałam wtedy, że chciałabym znaleźć się na takim statku i podziwiać te fantastyczne widoki. Marzenia się spełniają, bo właśnie dziś popłynę lodołamaczem! Nie mogę się doczekać tej wyprawy ☺ i bardzo chcę cię tam zabrać!

A WIESZ, CO TO JEST LODOŁAMACZ?

To taki statek przystosowany do łamania lodu kadłubem, czyli swoją obudową. Dlatego tak się nazywa: LODO-ŁAMACZ. Kadłub jest specjalnie wzmocniony, by przy uderzeniu o lód się nie przedziurawił, a lód się połamał i rozkruszył.

Zobacz, to jest lodołamacz, który wpływa w zamarzniętą pokrywę lodową. Z przodu statku jest dziób, który uderza o lód i go łamie.

A tak wygląda z dołu. Jakbyś stał na lodzie, miałbyś taki widok.

Lodołamacz łamie pokrywę lodową i tworzy korytarz dla innych statków, by mogły przepłynąć.

PO CO LODOŁAMACZ KRUSZY LÓD?

Po to, żeby stworzyć wodny korytarz, przez który będą mogły przepływać zwykłe statki i łodzie. Jakby one uderzyły o lód, to mogłyby zostać uszkodzone i nawet zatonąć!

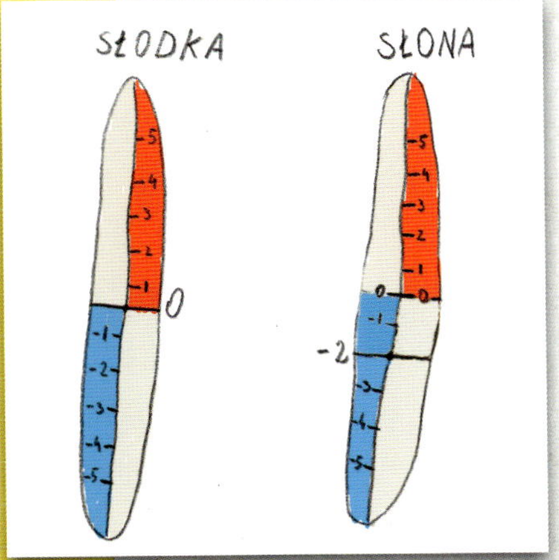

CZY WODA MORSKA ZAMARZA?

Pewnie nieraz widziałeś, jak na ulice podczas śniegów w Polsce sypana jest sól. Sypana jest po to, aby rozpuścić śnieg i lód. Skoro więc sól rozpuszcza lód, to czy morska woda zamarza? Jak myślisz? **Odpowiedź brzmi:** tak! Ale w innej temperaturze niż woda słodka. Taka woda, jaką pijemy, czyli słodka, zamarza w temperaturze 0 stopni Celsjusza. Woda słona zamarza w temperaturze około –2 stopni Celsjusza.

Nasza wyprawa odbędzie się na morzu, które pewnie bardzo dobrze znasz. Bo na Morzu Bałtyckim! Ale nie po polskiej stronie, tylko po drugiej, której z naszego brzegu nie widać ☺.

Zastanawiałeś się kiedyś, stojąc na plaży nad Bałtykiem i patrząc na horyzont, co się za nim kryje? Bo zawsze coś jest za horyzontem! ☺ Gdziekolwiek spojrzysz i zobaczysz horyzont, nie jest to koniec świata. A jakbyś szedł do przodu, to cały czas horyzont by się przesuwał razem z tobą. Każdy twój krok do przodu to przesunięcie horyzontu właśnie o ten jeden krok. Pamiętaj o tym! ☺

A teraz popatrz na to zdjęcie. To Bałtyk widziany z naszej polskiej plaży. Na końcu jest właśnie horyzont i może się wydawać, że dalej jest morze i tylko morze. Ale to nieprawda! Gdybyś płynął cały czas prosto i skręcił troszeczkę w prawo, to byś dotarł na drugą stronę Morza Bałtyckiego do Finlandii! A dokładnie do Zatoki Botnickiej, przez którą dziś będziemy płynąć ☺. Jeśli kiedyś będziesz na plaży nad naszym morzem i spojrzysz na horyzont, to przypomnij sobie, że właśnie ja po drugiej stronie płynęłam lodołamaczem ☺.

To Bałtyk widziany ze strony Polski.

Zobacz, jak staniesz na naszej polskiej plaży i popatrzysz lekko w prawo, to możliwe, że popatrzysz właśnie tam, gdzie będziemy przeżywać naszą przygodę!

A przygoda zaczęła się tak...

Musiałam wstać bardzo wcześnie rano, by wyjechać w kierunku miejscowości Oulu w Finlandii, gdzie jest port, z którego odpływa lodołamacz. Było jeszcze ciemno, gdy wsiadałam do samochodu, i równie ciemno, gdy dojechałam do portu. Podeszłam do brzegu i spojrzałam na morze. Nie było to takie morze, do jakiego się przyzwyczaiłam, ale ogromna zamarznięta tafla lodu! Gdzieniegdzie była zupełnie płaska, a w innych miejscach powybijana, jak nierówno zastygnięte pole lawowe.

Port oświetlały latarnie, których jeszcze nie zgaszono po nocy. Panowała cisza. Lekki wiatr wiał od morza i był tak mroźny, że zasłoniłam się dodatkowo rękawiczką.

Mimo to stałam i patrzyłam. Nie mogłam się nadziwić, gdyż nigdy w życiu nie widziałam tak ogromnej zlodowaciałej powierzchni. Oddychałam wolno, a z każdym wydechem widziałam, jak wypuszczam bardzo dużo pary. Wyglądałam jak ziejący arktyczny smok! ☺ Bardzo lubię mróz. Chyba tak samo jak parną dżunglę, suchą pustynię i ciemne morskie głębiny! Każde miejsce na świecie jest wyjątkowe, a ja kocham je odkrywać!

W porcie stał ogromny statek przycumowany do brzegu. Lodołamacz!

– To na pewno mój statek! – powiedziałam zadowolona.

Poszłam w kierunku trapu, po którym wchodzi się na pokład, i przywitałam się z załogą. Po czym zaczęłam zwiedzanie statku, bo można było po nim spacerować i zaglądać w różne miejsca – odkrywać jego zakamarki i tajemnice ☺.

Wreszcie statek zatrąbił, a ja poczułam, że ruszamy. Stanęłam przy burcie jednego z pokładów i patrzyłam w morze. Hm... Może źle to ujęłam... Patrzyłam w zamarznięty lód i czekałam, aż coś się poruszy.

Już żeby wypłynąć z portu, statek musi zacząć łamać lód... Bo stoi w zlodowaciałej powierzchni!

Statek stał jak w jakiejś skorupie, która bardzo dokładnie objęła jego kadłub. Jakby trzymała i nie chciała puścić. Ale przy jego naporze zaczęła powoli pękać.

Trzask, trzask, trzask... Słyszałam, patrząc w dół, jak co chwila odrywają się duże i małe tafle lodu.

Lód pękał przy samym kadłubie. Część zostawała na powierzchni, a część wpadała pod statek.

Zobacz, jak pęka lód!

ZOBACZ!

Za mną jest wodny korytarz.

Skanuj kod QR
i zobacz, jak płynęłam!

To były ogromne bryły i kawałki. Bardzo twarde i ciężkie, ale lodołamacz radził sobie z nimi bez żadnego problemu. Szybko poszłam na tył statku zobaczyć, co tam się dzieje...

Tak jak myślałam. Zostawialiśmy za sobą rozbite morze i wodny korytarz.

Statek nabierał prędkości. Wiatr stawał się coraz mroźniejszy, aż w pewnym momencie był już lodowaty.

– Brrr... – powiedziałam i naciągnęłam mocniej kaptur. – Pójdę odwiedzić kapitana! Tam na pewno jest cieplej.

Kabina kapitana była otwarta dla turystów. Można było do niej wejść, obejrzeć ją i porozmawiać z kapitanem.

– *Good morning!* (Dzień dobry!) – powiedziałam, wchodząc do kabiny.

– *Good morning!* (Dzień dobry!) – odparł kapitan i uśmiechnął się. – *What's your name?* (Jak masz na imię?)

– *Nela* – odpowiedziałam, zerkając na dziwne urządzenia w kabinie, które służyły do sterowania statkiem. Kapitan to najwyraźniej zauważył, gdyż po chwili spytał:

– *Do you want to steer the icebreaker?* (Chcesz posterować lodołamaczem?)

Idziemy do kapitana!

Jakie dziwne urządzenia!

A to jest telefon pokładowy! Halo? Czy ktoś mnie słyszy? Zmiana kursu, płyniemy do niedźwiedzi ☺.

Siedzę na miejscu kapitana! ☺

Ale super... – pomyślałam i skinęłam głową, wydając jednocześnie odgłos „yhy". Co miało oczywiście oznaczać „tak" ☺. Kapitan pozwolił mi usiąść na jego miejscu i chwycić ster.

Uaaał! – krzyknęłam... – Prowadzę lodołamacz! Super!

No to gdzie płyniemy?... ☺ A ty, jakbyś miał możliwość poprowadzić lodołamacz, to gdzie byś popłynął? Ja mam pewien pomysł. Chciałabym dopłynąć na Grenlandię do niedźwiedzi polarnych. Musielibyśmy wypłynąć z Morza Bałtyckiego, przepłynąć obok Wielkiej Brytanii, a następnie skierować się na Grenlandię. Popatrz na mapę, jak wyglądałaby nasza trasa.

Musielibyśmy pewnie płynąć kilka dni, albo nawet tygodni. Ale w końcu dotarlibyśmy do krainy niedźwiedzi polarnych!

Oczywiście to tylko moje marzenia, bo musimy płynąć zgodnie z kursem wybranym przez kapitana. A on chyba nie chciałby popłynąć do niedźwiedzi... ☺

– *Now it's time to walk*... (Teraz jest czas na spacer...) – oświadczył kapitan, przerywając mi marzenia o niedźwiedziach polarnych.

– *To walk?* (Na spacer?) – powtórzyłam. – *Where?...* (Gdzie...?)

– *On the ice*... (Na lodzie...) – Wskazał ręką za okno.

Poczułam, jak statek powoli się zatrzymuje. W końcu stanął zupełnie nieruchomo.

Wybiegłam na pokład, dziękując kapitanowi za informację. Kładka prowadząca ze statku na pokrywę lodową

Może popłyniemy lodołamaczem do krainy niedźwiedzi polarnych?

SAMPO

SAMPO

Skanuj kod QR
i oglądaj filmik,
jak stanęliśmy
na środku morza!

była opuszczona. Ludzie schodzili i spacerowali po zamarzniętym morzu. Ale czy to jest bezpieczne? Zaczęłam się zastanawiać... Wtedy przypomniałam sobie, jak załoga opowiadała, że w niektórych miejscach na morzu pokrywa lodowa jest bardzo gruba i wytrzymała, a kapitan wie dokładnie gdzie.

– Ufff... – Odetchnęłam z ulgą, przypominając sobie te słowa. W takim razie i ja spróbuję.

Zeszłam na lód. Miejsce bezpieczne do chodzenia zostało zaznaczone przez załogę pomarańczowymi słupkami, a każdego pilnowała jedna osoba. Nie można było ich przekraczać, bo dalej lód mógł nie być już taki mocny.

Stąpanie po lodzie na środku morza było fantastyczne. Czułam się jak foka, która może dopłynąć w każde miejsce i wyjść sobie na lód. A patrzenie na ląd ze środka zamarzniętego morza to coś niesamowitego!

Ale pamiętaj! Wchodzenie na lód jest bardzo, bardzo niebezpieczne i można to robić tylko wtedy, gdy pozwoli ci bardzo doświadczona osoba, jak na przykład kapitan statku. Inaczej nie wolno, bo lód, nawet gdy na początku nie pęknie, to w pewnym miejscu może być kruchy i załamać się pod tobą, a wtedy można wpaść do wody i zginąć!

Nagle ze statku zaczęły schodzić osoby w czerwonych kombinezonach, przypominających trochę kosmiczne skafandry. Ludzie ci poruszali się dziwacznie, trochę jak pingwiny.

– Nadszedł czas na mroźną, morską kąpiel! – powiedziałam uradowana. Będę patrzeć, jak ochotnicy pływają w lodowatym morzu. Chociaż sama też bardzo chciałam popływać, to nie mogłam. Nie było małych skafandrów dla dzieci… Bardzo, bardzo bym chciała też popływać, ale pomyślałam sobie, że jak trochę urosnę, to wtedy tu wrócę i zobaczę, jak to jest unosić się na wodzie pośród dryfujących kawałków lodu! Stałam więc i patrzyłam na pływaków. Nie marzli, bo kombinezony, które dostali, były ciepłe i suche. Nazywane są suchymi kombinezonami, ponieważ nie przepuszczają wody i izolują od zimna.

TWIN SCREWS

Skanuj kod QR
i zobacz, jak
się pływa przy
lodołamaczu ☺.

Wejście do wody z zamarzniętej tafli lodu w suchym kombinezonie nie było takie proste. Nie wiem, czy w ogóle nazywałabym to „wchodzeniem". Raczej „wpychaniem" albo „ześlizgiwaniem". Każdy pływak musiał się położyć

na plecach na lodzie przy samym brzegu. Następnie był zsuwany przez kogoś z załogi do morza. Każdy miał twarz skierowaną w górę i leżał na plecach bez ruchu. Czyli zachowywał się jak kawałek dryfującego lodu.

Miejsce do „unoszenia się" dla pływaków było odgrodzone na morzu specjalnym pasem. Po to, by nie odpłynęli gdzieś daleko i można było ich z powrotem wciągnąć na lód. Sami by sobie nie poradzili.

Strasznie mi się ta przygoda podobała. Było mroźno, łamaliśmy lód, a na koniec śmiałkowie weszli do morza, by udawać bryły lodowe ☺.

Mam nadzieję, że tobie również się podobało i wyruszymy dalej poznawać świat!

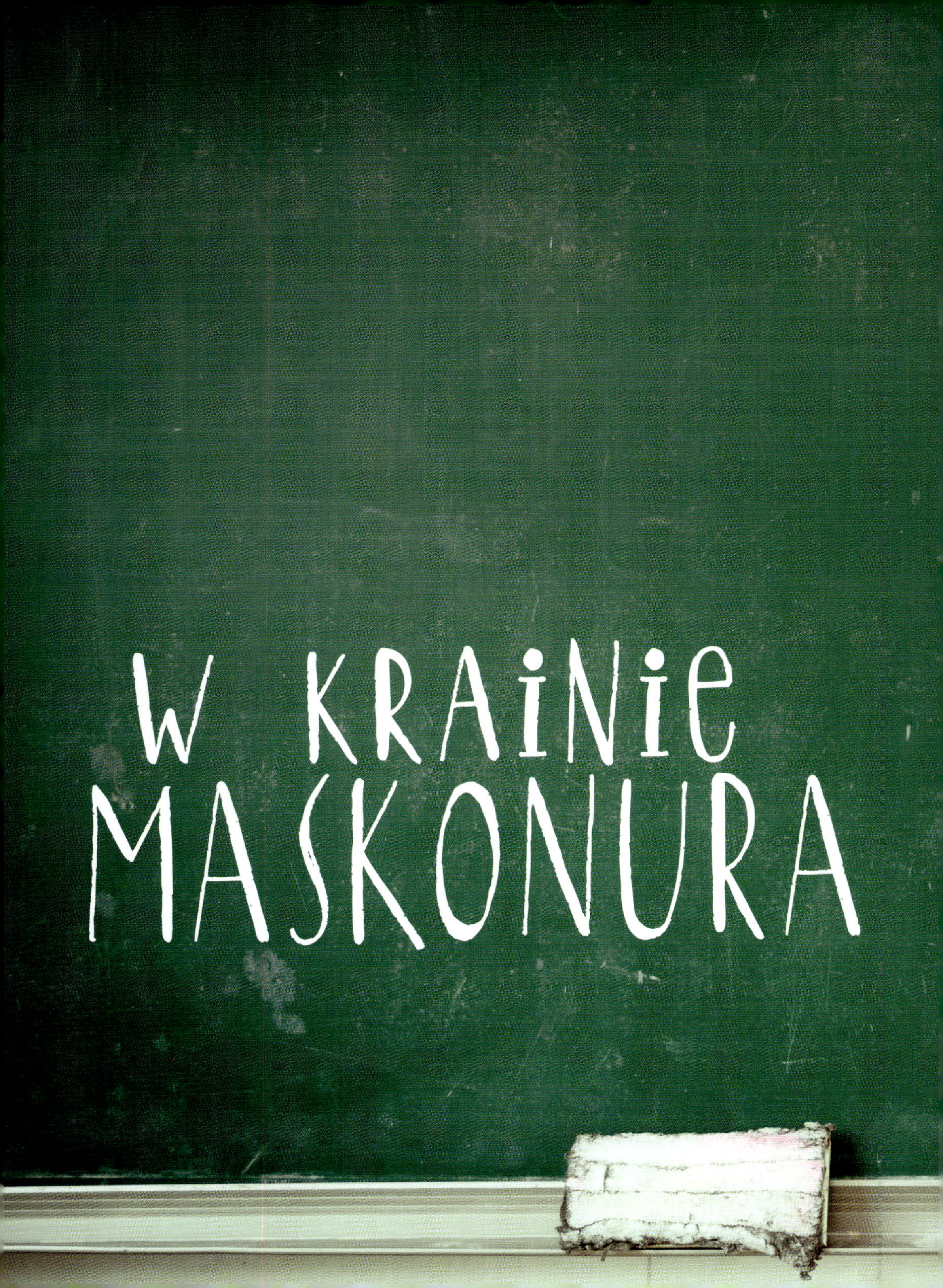
W KRAINIE
MASKONURA

W dzisiejszą podróż pojedziemy do Islandii. To bardzo fajny kraj w Europie, na wyspie położonej na Oceanie Atlantyckim niedaleko Grenlandii. Mówi się o niej, że jest krainą lodu i ognia, czyli dwóch skrajności. To dlatego, że bywa tam niesamowicie zimno, ale też niesamowicie gorąco, gdy wybuchają wulkany, a płonąca lawa płynie strumieniami. Najzimniej jest oczywiście w zimę w północnej części Islandii, gdzie temperatury dochodzą do –39 stopni Celsjusza. W lato jest cieplej, ale temperatura zależy od regionu.

Nazwa „Islandia" w tłumaczeniu oznacza „lodowy ląd".
Słowo *ice* oznacza „lód", a *land* – „ląd".

Popatrz na mapę i sprawdź ze mną, gdzie jest Islandia. Jak już wiesz, znajduje się bardzo blisko Grenlandii, czyli krainy wiecznego śniegu ☺.

A teraz zastanówmy się, jaki kształt ma Islandia. Mnie przypomina grubiutką fokę z lekko uniesioną tylną płetwą. Zobacz:

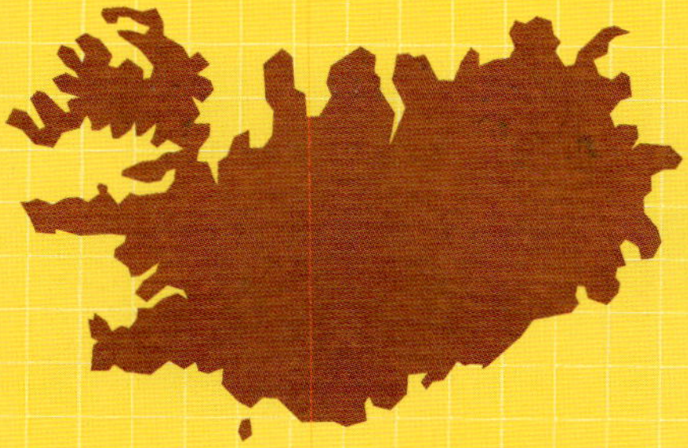

A tobie co przypomina? Każdy może zobaczyć w tym kształcie coś innego ☺.

Z ISLANDII BLIŻEJ DO GRENLANDII NIŻ DO POLSKI.
Grenlandia
Morze Norweskie
Zobacz, tu jest Grenlandia, a tu Islandia.
Islandia
Polska
Tu jest Polska.
Ocean Atlantycki

Tym razem w naszą podróż wybierzemy się latem. Na Islandii w lato nie jest bardzo ciepło, około +10 stopni Celsjusza. Nie ma śniegu, ale należy mieć kurtki przeciwdeszczowe i przeciwwietrzne, bo może padać deszcz oraz wiać wiatr. Ja na wyprawę zabiorę dodatkowo:

- spodnie przeciwdeszczowe,
- czapkę i kominiarkę,
- ciepłe buty,
- rękawiczki,
- lornetkę, kompas i aparat fotograficzny!

Jeżeli już się spakowałeś, to możemy wyruszać. Dziś pojedziemy obserwować maskonury, które żyją właśnie na Islandii. To jedne z moich ulubionych ptaków, wyglądem przypominające pingwiny. Nie należą jednak do tej samej rodziny i różnią się od nich zachowaniem, o czym ci zaraz opowiem. Popatrz, jak wygląda maskonur.

Czyż nie jest przesłodki?! Ja się od razu w nim zakochałam!!!

To słodki maluch. Bo musisz wiedzieć, że maskonury nie są bardzo duże. Są może troszeczkę większe od tego pluszowego maskonura, którego trzymam w ręku!

W języku angielskim na maskonura mówi się *puffin*. Pasuje do niego ta nazwa ☺, dlatego ja go pieszczotliwie nazywam „pufinkiem”.

Tu mam pluszowego maskonura. Prawdziwe maskonury są mniej więcej takiej wielkości ☺.

ZMIERZMY MASKONURA!

Poprosiłam maskonura, by dał się zmierzyć i zważyć. A to są wyniki pomiarów ☺.

A WIESZ, CO WAŻY 380 GRAMÓW? NA PRZYKŁAD DWA ŚREDNIEJ WIELKOŚCI JABŁKA ☺.

Jak masz w domu jabłka, to możesz zrobić eksperyment. Wziąć dwa do ręki, zamknąć oczy i wyobrazić sobie, że trzymasz w rękach maskonura!

CZY MASKONUR PODOBNY JEST DO PINGWINA?

Popatrz na maskonura. Niektóre osoby, nieznające tego ptaka, często mylą go z pingwinem. Mówią: ale fajny pingwin! Ale to nie jest pingwin ☺. Zresztą te ptaki nawet nie wiedzą nawzajem o swoim istnieniu. Pingwiny żyją na południu kuli ziemskiej, a maskonury na północy!

A teraz popatrz na te zdjęcia. Specjalnie wstawiłam zdjęcia maskonura i czterech różnych pingwinów. Pokaż, gdzie jest maskonur, a gdzie są pingwiny. Jestem pewna, że ty się nie pomylisz ☺ i nie powiesz na maskonura: ale fajny pingwin!

A TERAZ ROZWIĄZANIE ZAGADKI!
CZTERY PIERWSZE PTAKI TO PINGWINY, A TEN NAJMNIEJSZY TO MASKONUR!

Zobacz, jakiej są wielkości na mojej PINGWINOWEJ MIARCE ☺

SIEBIE TEŻ MOŻESZ ZMIERZYĆ!

Ale mają pewne cechy wspólne. Zarówno maskonury, jak i pingwiny są ptakami morskimi! ☺ Mają podobne ubarwienia i znoszą jedno jajo. Ale to, co je mocno różni, to fakt, że **pingwiny to nieloty**! A maskonury **są świetnymi lotnikami i większość czasu spędzają na morzu.**

CO JE MASKONUR?

Ponieważ to ptak morski i większość czasu spędza na wodzie (też bym tak chciała ☺), je to, co uda mu się właśnie tam zdobyć. Więc co to będzie? Jak myślisz?

Ryby i skorupiaki ☺.

Najczęściej maskonur poluje na rybki, które nazywają się tobiasze. One żyją w Oceanie Atlantyckim, ale można je też spotkać w naszym Morzu Bałtyckim. Tobiasze wyglądają tak:

Pływają w ławicach, co maskonurowi bardzo ułatwia polowanie, bo są w gromadzie.

Maskonur pod wodą porusza się bardzo sprawnie!

Jaki kolor ma język maskonura?

Maskonur poluje, nurkując w wodzie. Potrafi zgromadzić w dziobie dużo ryb naraz i zanieść je swoim młodym. To mądre, bo za jednym razem przyniesie więcej ryb do gniazda.

ZOBACZ, JAK LATA MASKONUR.

Jak myślisz, w której pozycji przygotowuje się do nurkowania pod wodę?

GDZIE MASKONUR MA DOM?

Maskonury żyją w koloniach. Czyli w dużych gromadach, na które składa się wiele, wiele maskonurów. Kolonie mogą liczyć nawet kilka tysięcy osobników!

Maskonury spędzają czas albo na morzu, albo blisko morza. Siedzą na półkach skalnych lub urwiskach i zwykle są zwrócone dziobem w kierunku morza, cały czas gotowe do startu.

Ptaki nie mają lęku wysokości ☺.

Ten maskonur ma piękny widok☺.

Maskonury robią gniazda na półkach skalnych, ale nie tylko. Mogą mieć domki w norkach w ziemi! Wykopują je same, ale zdarza się również, że zasiedlają nory po zającach.

Maskonur w wejściu do norki w ziemi.

Maskonur na półce skalnej.

JAK WYGLĄDA NORKA MASKONURA?

Zobacz, narysowałam ją.
Jeżeli maskonur sam buduje norkę, używa do tego dzioba i łapek. Musi się bardzo natrudzić, bo norka jest głęboka. Może mieć nawet dwa metry głębokości. Dla maskonura to osiem długości jego ciała! Na końcu norki jest większe pomieszczenie, ozdobione różnymi roślinami.

A teraz w drogę! Wyruszamy na poszukiwania i obserwacje maskonurów ☺.

Tego dnia nie było bardzo zimno. Ale za to wiał chłodny wiatr. Włożyłam kurtkę i czapkę, wzięłam plecak i lunetę, następnie wyruszyłam w kierunku skarpy nad morzem. Jak już wiesz, maskonury to morskie ptaki, więc liczę na to, że uda nam się je zobaczyć. Urwisko było bardzo wysokie, długo szłam na jego szczyt. Ziemia i piach dookoła mnie były czarne, powulkaniczne. Miałam ze sobą mojego pluszowego maskonura, takiej wielkości, jakiej są te prawdziwe. Pomyślałam, że przyniesie mi szczęście w poszukiwaniach!

Wreszcie dotarłam na sam szczyt skarpy. Byłam baaardzo wysoko.

– Hm… Ale chcę wejść jeszcze wyżej! – powiedziałam i znalazłam głaz, na który się od razu wspięłam. Wiatr wiał,

a ja czułam się jak ptak z rozłożonymi skrzydłami, który ma zaraz odlecieć...

Widok był fantastyczny. Rozciągał się na ocean i długą, czarną plażę, która wydawała się nie kończyć. W dodatku była pusta, jakby nikt nigdy po niej nie chodził – jakby była nieodkryta.

Ciekawa jestem, czy komukolwiek udało się kiedyś tam zejść – pomyślałam, spoglądając w dół. Plaża wydaje się niedostępna od lądu. To bardzo fajne, że są takie plaże, do których nie dostaniesz się inną drogą niż morską. Czyli musiałbyś podpłynąć od strony morza, żeby się po niej przejść, bo dookoła jest ogrodzona na przykład urwiskiem.

Na niektóre plaże można się dostać tylko od strony morza, bo są otoczone urwiskiem.

A gdzie ty byś szukał maskonurów? Na morzu czy na lądzie? Ja skierowałam lunetę w kierunku morza.

Zobacz, z jakiej skarpy obserwowałam maskonury. Skanuj kod QR i oglądaj film!

Wzięłam mojego szczęśliwego pluszowego maskonura i postanowiłam rozstawić lunetę do obserwacji ptaków. Długo szukałam właściwego miejsca, bo nie mogłam się zdecydować, czy obserwować morze, czy raczej półki skalne.

– Sprawdzimy najpierw na morzu – powiedziałam do mojego pluszaka. – Trzymaj za mnie kciuki! Hm... No tak... Ty nie masz kciuków. To trzymaj za mnie pióra! ☺

Jak się patrzy przez lunetę, to trzeba uważać na każdy wstrząs, nawet lekkie puknięcie powoduje drżenie obrazu. Gdy się szuka jakichś małych zwierząt i to jeszcze na kołyszących się falach, trzeba bardzo, bardzo, ale to bardzo wolno przesuwać lunetę. Bo inaczej można ich nie zauważyć.

Ja właśnie tak robiłam i po chwili... Na morzu coś zobaczyłam...

– Uaaał! – krzyknęłam z zachwytu. – Są, są!... I są super!

Mało nie zaczęłam skakać z radości, ale wtedy bym poruszyła lunetą.

Zobacz, co ujrzałam.

To były maskonury. Naliczyłam ich chyba z dziesięć! Ale były bardzo daleko na morzu. Właśnie dlatego w lunecie były takie malutkie, mimo że luneta przecież przybliża...

Skoro są na morzu, to powinny być też na lądzie... – pomyślałam. – Ważne, że są! Żyją przecież w koloniach, więc musi być ich więcej i są gdzieś tutaj. Rozglądałam się dookoła i szukałam ich na skarpie i półkach skalnych, jednak bez rezultatu.

– Już wiem! – powiedziałam. – Jest jeszcze druga strona skarpy. Przejdę tam!

Aby zejść na drugą stronę urwiska, trzeba z pół godziny iść żwirową drogą. Cała Islandia jest powulkaniczna, więc wszędzie są wulkany lub ich pozostałości. Żwir, po którym szłam,

Muszę iść na drugą stronę urwiska, bo tu nie widzę maskonurów.

również był pozostałością po jakiejś erupcji. Musiałam iść powoli, bo obsuwał się pod stopami i czułam, że w każdej chwili mogę polecieć w dół.

– Muszę bardzo uważać... – powiedziałam i zgięłam mocniej nogi w kolanach. – To amortyzuje zejście. Jeżeli poczuję, że się poślizgnęłam, to szybko położę się na ziemi, żeby nie polecieć w przepaść.

W pewnym momencie szłam już, trzymając się łańcucha, który zamontowano dla osób przechodzących na drugą stronę.

Stąpałam powoli, a każde „stąpnięcie" wydawało mi się puste.

Puste?... Dlaczego słyszę pusty odgłos w ziemi? – zaczęłam się zastanawiać.

Stanęłam i tupnęłam jeszcze raz. Odgłos znowu był pusty. Hmm... Co tam może być pode mną?... – myślałam. Przestraszyłam się, bo przez głowę przeszły mi dwie myśli: albo jest to pusta komora w wulkanie, do której mogę

Tu są maskonury.
Zobacz, jak widziałam je w lornetce!

Zobacz, jaki słodziak!
Chyba się zdziwił, że go zauważyłam. Jak myślisz? ☺

wpaść, jak się pode mną zarwie... Albo... tunel gniazda maskonura...

Zaczęłam iść szybciej przed siebie, mocniej trzymając się łańcucha. Szczerze marzyłam o tym, żeby to było tylko gniazdo... I chyba tak było, bo gdy doszłam na drugą stronę skarpy, odkryłam kolonię maskonurów!

Zobacz maskonury!
Skanuj kod QR
i oglądaj film.

Nie były bardzo daleko, więc mogłam je obserwować przez lornetkę.

Zobaczyłam fajnego maskonura, który stał wyprostowany i z lekko pochyloną głową patrzył w moim kierunku.

– Cześć, „pufinku”... – powiedziałam cicho, żeby go nie przestraszyć. Ale on się wcale nie bał. Patrzył w moim kierunku, jakbym była dla niego równie fajną atrakcją, jak on dla mnie.

Cieszę się, że nasza wyprawa zakończyła się sukcesem, i mam nadzieję, że pojedziesz ze mną na kolejne!

OKO W OKO Z PIŻMOWOŁEM ARKTYCZNYM

Cześć! Dziś rozpoczynamy naszą podróż w nowym niesamowitym miejscu. Mam na myśli Grenlandię, czyli największą wyspę na świecie, która w większości pokryta jest lądolodem! Wyprawa w tak mroźne rejony zawsze była moim marzeniem. Ty pewnie też chciałbyś odkrywać najbardziej dzikie i niezbadane zakątki Ziemi, prawda?

Ale zanim wyruszymy, sprawdźmy, gdzie leży Grenlandia, jaki ma kształt i dlaczego tak się nazywa. Bo GREEN-LAND to w tłumaczeniu „zielony ląd”, a tam jest przecież bardziej biało niż zielono ☺. Ale o tym opowiem ci za chwilę. Najpierw popatrzmy na mapę!

TO JEST MAPA GRENLANDII.

Mimo że Grenlandia należy do Danii – jest jej terytorium autonomicznym – to nie znajduje się w Europie, ale w Ameryce Północnej.

Przez Grenlandię przechodzi północne koło podbiegunowe, które jest tutaj.

Bardzo się cieszę, że tam dotrzemy. Będę mogła powiedzieć, że byłam już na pięciu kontynentach: w Europie, Azji, Afryce, Ameryce Południowej, a teraz i w Ameryce Północnej! Pozostanie mi już tylko Australia i Antarktyda! Bo wszystkich kontynentów jest 7. Ciekawe, czy kiedyś uda mi się odbyć wyprawę w pozostałe miejsca. Jak tam pojadę, to na pewno zabiorę cię ze sobą!

Przyglądałam się długo kształtowi Grenlandii i zastanawiałam się, co mi on przypomina. Spójrz ze mną. Co widzisz w jej kształcie?

Mnie kształt Grenlandii przypomina pędzącego wołu piżmowego. Wystarczy tylko przechylić głowę w prawą stronę i spojrzeć na mapę pod innym kątem.

Zobacz, tu przekręciłam mapę specjalnie dla ciebie, żebyś mógł sam porównać.

A tu jest zdjęcie pędzącego wołu piżmowego.

Widzisz podobieństwo? Jak się dłużej przyjrzę, to widzę też wiele innych fajnych kształtów. Ale wół piżmowy jest najlepszy! Bo właśnie jego będziemy szukać podczas naszej wyprawy!

Gdy już wiemy, jaki Grenlandia ma kształt i gdzie leży, czas na ciekawostkę, o której ci wspominałam. Chodzi o nazwę Grenlandii. Dlaczego została nazwana „zielonym lądem", skoro nim nie jest, a w większości pokrywa ją lądolód?

Kiedyś, dawno, dawno temu, kiedy Grenlandia nie była jeszcze znana i zamieszkana, przybywały na nią różne ludy.

Pewien wiking mieszkający na Islandii, nazywany Erykiem Rudym, również szukał chętnych do popłynięcia i zasiedlenia tej nowej krainy. Opowiadał wszystkim, że jest tam pięknie i zielono. Jak się coś posadzi, to zaraz wyrośnie, a plony obfitują w owoce i warzywa. Mówił więc, że jest to „zielony ląd", nazywając go Grenlandią. Dużo osób dało się przekonać i wyruszyło w podróż przez morze. Jednak to, co zobaczyli na miejscu, znacznie odbiegało od obietnic i marzeń. Zastali surowy ląd, gdzie zima wydawała się nigdy nie kończyć. Część nowych osadników rozczarowana wróciła z powrotem na Islandię. Część jednak została, a ich potomkowie do dziś tam mieszkają!

Teraz już wiesz, skąd pochodzi nazwa Grenlandia, chociaż nie ma ona dużo wspólnego z rzeczywistością.

KTO JESZCZE MIESZKA NA GRENLANDII?

Oprócz potomków wikingów można tu spotkać też Inuitów, zwanych przez niektórych Eskimosami.

Co weźmiemy na wyjazd?

Grenlandia to kraina mrozu. A my będziemy aż na kole podbiegunowym. Musimy się dobrze przygotować do tej wyprawy, żeby nie zmarznąć i nie wrócić szybko z powrotem jak niektórzy wikingowie!

Bo jak już nawet wikingowie wrócili, to co dopiero my ☺.

Ja wezmę:

- dwie pary spodni (grube na śnieg i średnio grube). Dwie pary spodni są mi potrzebne na wypadek, gdyby jedne zmokły, bo nie miałabym w czym chodzić,
- ciepłą kurtkę z kapturem,
- bieliznę termiczną,
- dwie pary butów i plastry rozgrzewające,
- maść rozgrzewającą, jakbym przemarzła,
- dwie pary rękawiczek – cieńsze i grubsze.

Aby nie zamarznąć, na Grenlandię pojedziemy wczesną jesienią. Ponieważ jest to największa wyspa na świecie, przez którą na dodatek przechodzi północne koło podbiegunowe, to temperatury na niej się różnią. Im dalej na północ, tym oczywiście zimniej, a nawet lodowato.

Musimy być więc przygotowani na temperaturę poniżej i powyżej zera, na przykład +5 stopni Celsjusza.

Jeżeli już wszystko wiesz i się spakowałeś, to w drogę! Czeka nas poszukiwanie dzikich piżmowołów arktycznych!

Już w samolocie zastanawiałam się, jak będę szukać tych zwierząt, czy one są niebezpieczne. Czy będę mogła blisko podejść? Co zrobię, jak je zobaczę?... Podróż była długa... Okno w samolocie powoli zachodziło szronem, co przypominało mi, w którym kierunku lecę. Postanowiłam się zdrzemnąć, żeby nabrać sił. Przykryłam się moim mięciutkim sweterkiem z wełny alpaki, który przywiozłam jakiś czas temu z Peru, ustawiłam na stoliku moje polarne zwierzęta i usnęłam...

CO TO JEST PIŻMOWÓŁ?

To zwierzę podobne do żubra, które żyje na Grenlandii. Ma bardzo duże rogi, zaokrąglone do przodu, które mogą osiągać nawet 60 cm długości!

Obudziłam się już na miejscu, kiedy doleciałam na małe lotnisko w miejscowości o dziwnej nazwie Kangerlussuaq. Dookoła niego rozciągały się góry. Niektóre miały kolor brązowy, inne, które były nieco dalej i wyżej, pokrywał śnieg, ale tak delikatny, jakby ktoś je oprószył cukrem pudrem.

Wysiadłam na mokry pas startowy. Nie było na nim śniegu, ale i bez niego poczułam, że wylądowałam przy kole podbiegunowym! Powietrze było przejmująco zimne i odnosiłam wrażenie że nos mi w środku zamarza. Jednocześnie to było tak przyjemne i rześkie uczucie, że miałam ochotę oddychać głębiej i głębiej...

Mój hotelik był malutki i znajdował się zaraz obok lotniska. Zresztą cała miejscowość Kangerlussuaq składa się z kilkudziesięciu budynków. Wszystkie są podobne do blaszanych kontenerów na palach pomalowanych na różne kolory. Wygląda to malowniczo i nadaje temu miejscu taki wyjątkowy klimat...

Nie mogłam się doczekać wyprawy, więc szybko przebrałam się w długie, ciepłe buty, puchowe spodnie, dodatkowy sweter i byłam gotowa wyruszać.

Mój przewodnik już na mnie czekał w ciekawym samochodzie, który wyglądał jak ciężarówka przystosowana do jeżdżenia po wertepach i górach śnieżnych.

Jechałam niecałe pół godziny w kierunku szczytu, z którego miała wyruszyć nasza wyprawa. O… zapomniałam ci powiedzieć – wzięłam też oczywiście lornetkę do wypatrywania wołów piżmowych. Podobno wcale nie jest tak łatwo je znaleźć. Tereny na Grenlandii są ogromne i nieogrodzone, więc piżmowoły mogą pędzić hen przed siebie, nie zważając na nic i żadne ograniczenia. Są dzikie, wolne i żyją na dzikich, nie do końca zbadanych i odkrytych terenach. Super, prawda? W każdym razie musimy się zastanowić, jak takiego piżmowołu najłatwiej odszukać. Lornetka pomoże mi ich wypatrywać. Ale są jeszcze inne sposoby poszukiwania zwierząt. Wiesz jakie? Zastanów się – jakie ślady zostawiają zwierzęta?

Są to odciski stóp – czyli ślady na ziemi, błocie, piasku lub śniegu.

Następnie możemy szukać miejsc, którędy zwierzę przechodziło, czyli ścieżek. Niektóre zwierzęta wydeptują bardzo charakterystyczne ścieżki, szczególnie te duże. Mogą łamać gałęzie, zostawiać odchody, no i futro.

A tego ostatniego u długowłosych piżmowołów nie brak!

Odciski piżmowołu
wyglądają tak.

Szukamy
piżmowołu

Piżmowoły mają bardzo, bardzo długie futro, które podczas biegu faluje jak firanka. Dodatkowo musisz wiedzieć, że futro piżmowołu składa się z długich włosów (tych, które widać na zewnątrz) i podszerstka. Podszerstek to krótka sierść znajdująca się blisko skóry. Jest gęsta, miła i skołtuniona.

To jest zewnętrzna warstwa długiego futra. Zwykle ma kolor brązowy i może sięgać do kolan piżmowołu albo jeszcze dalej. Z futra piżmowołu robi się bardzo drogą wełnę. Motek wełny piżmowołu (taki jak na zdjęciu) kosztuje ponad 200 złotych!

A teraz popatrz na naszego polskiego żubra i powiedz, czym się one od siebie różnią.

Nasz żubr jest większy i może ważyć nawet dwa razy więcej od piżmowołu!

Podobno piżmowoły zostawiają w tundrze spore ilości futra. To właśnie dlatego, że jest długie i zaczepia się o różne rośliny. Bardzo chciałabym znaleźć chociaż troszeczkę futra piżmowołu!

Stałam na szczycie góry, na którą dowiózł nas kierowca, a przede mną rozciągała się ogromna przestrzeń i chyba niekończące się dzikie tereny.

Gdzieś tam są piżmowoły... – pomyślałam i ruszyłam przed siebie.

Kolory, które mnie otaczały, nie były takie jak na lądolodzie. Nie było białego śniegu, tylko brązowo-złoto-czerwone bardzo niskie krzaczki z malutkimi listkami, żółte wysokie trawy, no i mchy.

Brakowało drzew. Jeżeli nie ma drzew, to oznacza, że są to bardzo wietrzne rejony. Czyli że często wieje bardzo mocny wiatr. Dlatego drzewa nie wyrastają.

Wybrałam jeden ze szlaków. Szłam może niecałe piętnaście minut, kiedy nagle coś zobaczyłam.

– Jakie dziwne nasiona mają te roślinki... – powiedziałam, schylając się do jednej z nich. – Musiało bardzo padać, bo są „ubite" i zmoczone.

Myślałam, że to puszki z roślin, które kiedyś widziałam w tundrze.

Postanowiłam sprawdzić, co to takiego, i wzięłam to delikatnie w rękę. Trudno było to ściągnąć z rośliny, bo pozaczepiało się o wystające patyczki i gałązki.

– Ojej! – krzyknęłam po chwili! – To jest futro wołu piżmowego!!! Znalazłam je!!! ☺☺☺

Szybko wyjęłam małą foliową, zapinaną torebkę, którą często noszę ze sobą, bo przecież mogę coś ciekawego znaleźć, i rozpoczęłam „zbieranie futra piżmowołu".

Szłam przed siebie za jego „futrzastymi śladami". Co chwila znajdowałam kępki futerka pozaczepiane o różne krzaczki i wystające gałązki.

– Zupełnie jakby specjalnie zostawił dla mnie szlak! – ucieszyłam się.

Szlak był długi, bo szłam tak po śladach ponad dwie godziny, cały czas kolekcjonując próbki futerka.

Moja kolekcja futra piżmowołu z tundry na Grenlandii ☺.
Zebrałam całą torebkę foliową.

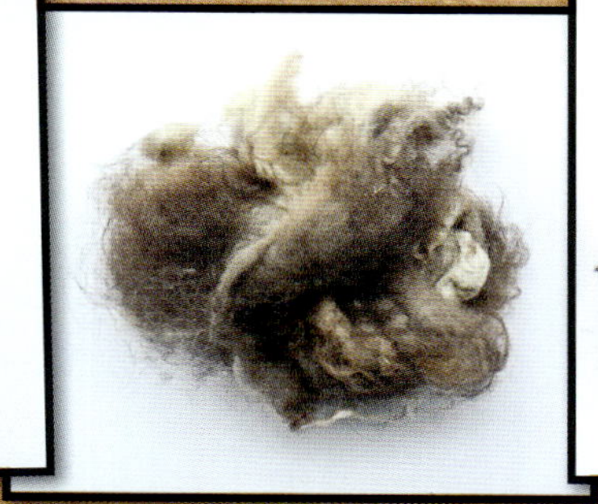

Droga zrobiła się bardziej górzysta. Szłam w górę i w dół. Po chwili znowu w górę i w dół... I tak znowu, i znowu. Wiesz, jak to jest, gdy się wchodzi pod górkę? Nie wiadomo, co stoi po drugiej stronie. Zawsze gdy wchodziłam na wierzchołek górki, miałam nadzieję, że znajdę tam piżmowołu. Ale cały czas go nie było...

W końcu postanowiłam odpocząć na jednym szczycie. Usiadłam i wyjęłam kanapkę, podziwiając widoki.

Nie minęła chwila, a w dolinie pode mną zaczęły biec piżmowoły!

Wiesz, kto jest największym wrogiem piżmowołu? Oprócz człowieka jest nim wilk polarny!

Podczas mojej wędrówki mijałam czaszki i szkielety piżmowołów. Tu mogą być wilki! Trzeba uważać!

Skanuj kod QR
i zobacz, jak
biegły piżmowoły!

– Ojej! Są! – krzyknęłam zachwycona. Biegły, a futro naprawdę falowało im jak gruba, doczepiona firanka. Biegły przed siebie, a ja im się przyglądałam i z zachwytem stwierdziłam, że czuję się tak jak one. Mogę biec przed siebie, hen daleko, i świat się nigdy nie skończy!

A moim kolejnym celem będzie lodowcowa laguna! Pojedziemy tam razem!

dziki PIES
grenlandzki

Cześć! Nasza dzisiejsza wyprawa będzie naprawdę wspaniała. Opowiem ci o pewnej przygodzie, którą przeżyłam na Grenlandii, kiedy chciałam się dostać do jęzora lodowca, a dokładniej jęzora lądolodu grenlandzkiego ☺.

Tego dnia na dworze było kilka stopni na plusie, świeciło słońce i wiał tylko lekki wiatr. Ubrałam się ciepło, na wszelki wypadek, gdyby się zrobiło chłodno lub nagle nadciągnęła mgła… i wyruszyłam w kierunku górskiego kanionu.

Droga do niego prowadziła z miasteczka, gdzie mieszkałam, w kierunku stóp góry i tam przechodziła w szlak oznaczony dużymi niebieskimi kropkami. Przed wyprawą zaopatrzyłam się w mapę oraz poczytałam informacje o niebezpieczeństwach, jakie mogą tam na nas czyhać. Dowiedziałam się, że kilka lat temu na tej trasie zgubili się turyści z Estonii. Szli szlakiem, kiedy nagle nadciągnęła niesamowicie gęsta mgła. Nie wiedzieli, co zrobić, i zamiast stać w miejscu i czekać lub wezwać pomoc, postanowili ruszyć dalej. Nawet nie zauważyli, kiedy zboczyli ze szlaku i zawędrowali gdzieś hen, hen, hen daleko... Byli z dala od ludzi, zabudowań i nie mogli odnaleźć drogi do domu. Zaczęli ich szukać ratownicy. Trwało to aż cztery dni, jednak turystów udało się na szczęście odnaleźć. Byli wycieńczeni, ale żywi! Spędzili cztery noce w górach, bojąc się wilków i niedźwiedzi polarnych...

Dlatego ja na taką wyprawę wezmę ze sobą również latarkę i kompas. Jeżeli nadciągnie mgła, łatwiej będzie wysyłać sygnały ratownikom, a dzięki kompasowi zorientuję się, którędy do wioski.

Przejście całego szlaku zajmie nam około pięciu godzin. Jeżeli będziemy dodatkowo stawać na odpoczynek lub podziwiać krajobrazy, potrwa to jeszcze dłużej!

Wyruszyłam... Szłam po niebieskich kropkach, które z miasteczka przechodziły przez tereny psów grenlandzkich. Musisz wiedzieć, że tu, na Grenlandii, psy są trzymane nie jako maskotki, ale jako zwierzęta do pracy. Są nazywane psami pracującymi. Żyją na przedmieściach i są nawet dla nich wyznaczone specjalne tereny, na których mają budy.

Na Grenlandii prawie każdy mieszkaniec ma psa.
Za to jest bardzo mało samochodów, a to dlatego,
że podczas śniegów ludzie poruszają się psimi zaprzęgami.

Psy hodowane na Grenlandii to potomkowie wilków. Uznają tylko swojego właściciela, który je karmi. Dlatego nie wolno do nich podchodzić, bo mogą wydawać się przyjazne, a zaatakować jak dzikie zwierzę. Przewodnik, który mówił mi o psach, powiedział, że jeżeli na Grenlandii pies kogoś ugryzie, to musi zostać zastrzelony. Dlatego nie są one puszczane luzem, ale trzymane na swoich terenach przy budach. Nie wolno do nich podchodzić!

NA TABLICZCE NAPISANO, ŻEBY NIE DOTYKAĆ PSÓW, BO MOGĄ BYĆ NIEBEZPIECZNE.

Psy na Grenlandii dostają do jedzenia głównie ryby. Zobacz, jaki jest zadowolony!

Jak już wspomniałam, tu jest bardzo dużo psów grenlandzkich, które mieszkają na obrzeżach miast. Mieszkańcy mówią, że są półdzikie i blisko spokrewnione z wilkami. Można nawet powiedzieć, że to półwilki.

Zobacz, jak wygląda wilk arktyczny, a jak pies grenlandzki! Potrafisz wskazać, który to wilk, a który pies „domowy"?

Pies grenlandzki może mieć różne umaszczenie. Może być cały biały, brązowy, czarny, a nawet łaciaty.

Niebieski szlak, którym szłam, prowadził właśnie przez teren psów grenlandzkich. Musiałam iść dokładnie po kropkach, by niechcący nie zbliżyć się do nich za bardzo.

Nagle usłyszałam straszne warczenie...

...Rozejrzałam się powoli. Ufff... – sapnęłam po chwili z ulgą. To na szczęście nie było na mnie. Jeden pies znalazł kawałek gumy i uznał, że to fantastyczna rzecz do gryzienia i żucia. Warczał na inne psy, które tak naprawdę nic od niego nie chciały. Ale on sobie „ubzdurał”, że musi przed nimi bronić tego kawałka gumy ☺.

– Okej... – powiedziałam. – To ja może już pójdę... – Przyspieszyłam kroku. Stanęłam jeszcze na chwilę i odwróciłam się, aby się rozejrzeć. Nagle z krzaków coś wyskoczyło.

– Uaaał! Jakie słodkie! – krzyknęłam. – To są szczeniaki!

Zobacz, jak warczał i najeżał się pies. Skanuj kod QR i oglądaj filmik, który dla ciebie nagrałam!

Na początku wystraszyłam się trochę, ale po chwili zobaczyłam, że to były szczeniaki psów grenlandzkich. Wyglądały przesłodko i były różnych maści. Dwa jasne, jeden łaciato-wilkowy, i jeszcze jeden czarno-biały ☺.

– Cześć maluchy!... – rzekłam do nich. – Dobrze, że jesteście małe, bo bym się was trochę bała.

Pieski były wyraźnie mną zainteresowane i chyba chciały się bawić. Może uznały, że mam w sobie coś z wilka, należę do watahy i warto się ze mną kolegować? ☺

– Muszę przejść przez kanion... – powiedziałam do piesków. – Wskażecie mi drogę?

Chyba mnie zrozumiały, bo ruszyły szlakiem pod górę. Właśnie w kierunku kanionu. Biegły przodem, a gdy tylko zostawałam w tyle, to stawały i czekały na mnie.

– Już idę, już idę... – mówiłam do nich co chwila, bo ciągle były przede mną. – Jejku, ile wy macie siły! Wdrapaliśmy

się już do wejścia do kanionu, kiedy nagle wszystkie pieski zawróciły, przebiegły obok mnie i szybko pognały z powrotem do stada, które wyło w oddali...

...Zaraz... zaraz... Wszystkie wróciły oprócz jednego!

– Hej, maluchu... – powiedziałam do niego. – A ty czemu nie zawracasz? Nie boisz się strasznego, ciemnego kanionu? Chcesz iść ze mną?

Piesek patrzył na mnie, odwracał się w kierunku swojego domu, i po chwili znowu na mnie patrzył.

– Skoro chcesz ze mną iść, muszę ci nadać imię! Jesteś półwilkiem... Dlatego będziesz się nazywał Woolfy! (czytaj: łulfi) Podoba ci się to imię?

Chyba mu się podobało, bo zamachał ogonem, cicho zapiszczał i pobiegł przede mnie.

Woolfy okazał się strasznym pieszczochem. Co chwila kładł się obok mnie i czekał, aż zacznę go głaskać po brzuszku.

– Nie wiem, czy mogę cię pogłaskać… – powiedziałam. – Jeżeli mnie ugryziesz, to stanie ci się krzywda. Nie chciałabym, żeby coś ci się złego przydarzyło.

Szliśmy przed siebie po szlaku. Wspinaczka była ciężka i musiałam co jakiś czas siadać na kamieniach i odpoczywać. Woolfy siadał wtedy oczywiście przy mnie, jakby mnie pilnował. Wreszcie po wielu, wielu trudnych chwilach

Zobacz, jak Woolfy wchodził ze mną pod górę! Skanuj kod QR i oglądaj film!

zobaczyłam kanion! Był przepiękny. Słońce właśnie chowało się za jedną ze skał. Miałam wrażenie, że w moim kierunku lecą pojedyncze promienie słoneczne.

– To tam, Woolfy! – powiedziałam. – Tam musimy dojść.

Woolfy był bardzo dzielny, chociaż w niektórych miejscach nie wiedział, jak przejść, i piszczał bezradnie. Wtedy po niego wracałam i pokazywałam mu, którędy przejść. Za kanionem czekała nas jeszcze krótka wspinaczka na górkę. Po jej pokonaniu zobaczyłam w oddali na morzu takie ilości brył lodowych, o jakich nawet mi się nie śniło.

– Zobacz, Woolfy! Udało nam się! Tam jest lodowa laguna!

Widok był przepiękny. Patrzyłam w dal i jednocześnie zerkałam na Woolfy`ego.

– Taki mały pies, a taki dzielny! – Powiedziałam pieszczotliwie. – Widać, że płynie w tobie krew dzielnego wilka!

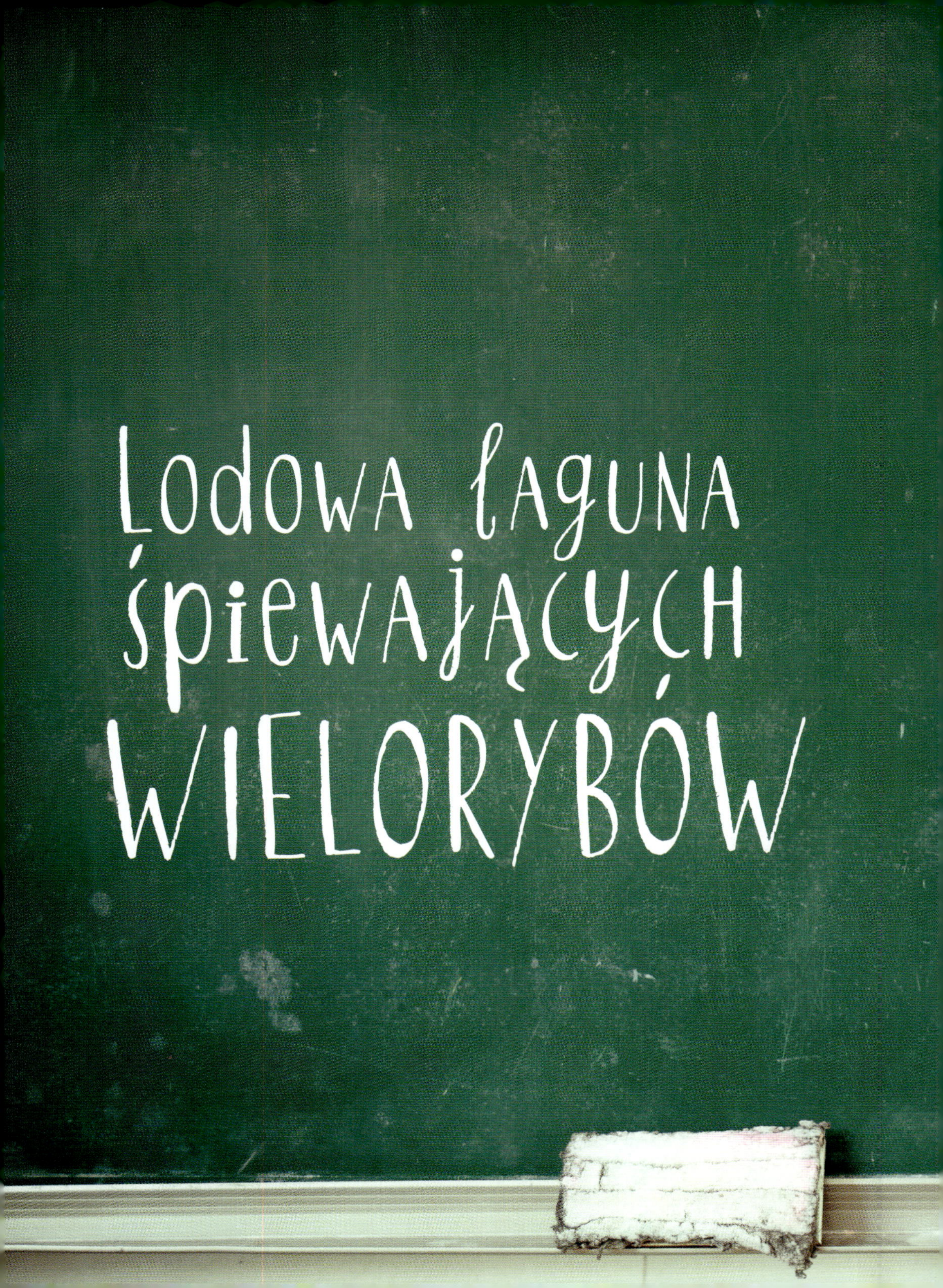
Lodowa laguna
śpiewających
WIELORYBÓW

Nasza dzisiejsza przygoda będzie naprawdę wyjątkowa. W tajemnicy powiem ci, że to jedna z moich ulubionych przygód ☺. Wybierzemy się na poszukiwanie wielorybów na Oceanie Atlantyckim w okolicach Grenlandii.

Jak wiesz, Grenlandia to wyspa, i to największa na świecie. Jest więc ze wszystkich stron otoczona wodą – morzami i oceanem. Popatrz na mapę i zobacz, jakie wody ją otaczają

Miejscowość Ilulissat znajduje się niedaleko jęzora lodowca wpadającego do morza. Od niego odrywają się ogromne kawałki gór lodowych, które potem dryfują po morzu.

My pojedziemy do miejscowości Ilulissat, która znajduje się na zachodnim wybrzeżu Grenlandii, za kołem podbiegunowym. Stąd wypłyniemy w rejs po niesamowitych lodowych lagunach.

Na Grenlandii jest mało samochodów, ale prawie każdy mieszkaniec ma psy zaprzęgowe i łódki. Zobacz, jaką fajną łódkę znalazłam ☺. Może nią popłyniemy na wyprawę?

Co weźmiemy w rejs?

Ja wezmę:
- ciepłe spodnie,
- czapkę,
- rękawiczki,
- bardzo ciepłe buty,
- kurtkę z kapturem,
- specjalną kamerę do filmowania na kołyszącym się morzu.

Jeżeli też już jesteś spakowany, to wyruszajmy! Nie mogę się doczekać poszukiwań wielorybów.

Na wyprawę wstałam wcześnie rano. Było już widno, bo słońce wzeszło około piątej. Razem ze słońcem obudziły się też psy mieszkające w miasteczku, wyjące jak stada wilków. Od rana coś nawoływały i chyba chciały mnie obudzić. Zjadłam szybko śniadanie i poszłam w kierunku portu. Tam czekała już na mnie mała żółta łódka. Napisane było na niej *water-taxi*, czyli wodna taksówka.

– Jakie to śmieszne... ☺ – powiedziałam. Są tu nawet morskie taksówki, którymi można poruszać się po wodzie między ogromnymi, dryfującymi górami lodowymi! – Super!

Kapitan już na mnie czekał. Nazywał się Andrus i był specjalistą w poszukiwaniu wielorybów. W pobliżu Grenlandii można spotkać różne gatunki wielorybów. Są humbaki, czyli długopłetwce. Żyją tu również kaszaloty, białuchy czy narwale, z długim kręconym jak świder „rogiem" na nosie.

Kaszalot ma bardzo charakterystyczny kształt ciała. Przód głowy jest kanciasty.

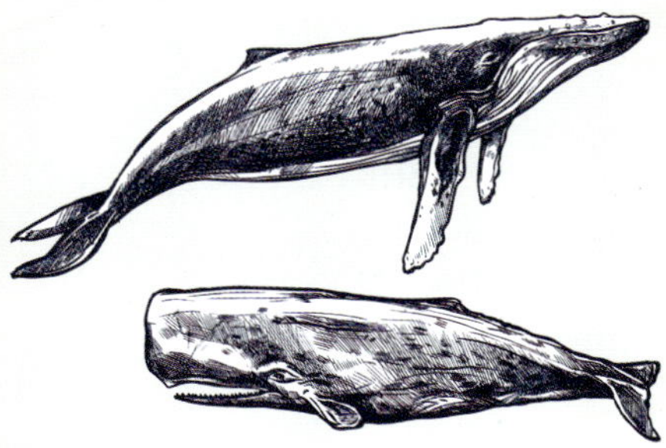

Popatrz na te rysunki. Potrafisz pokazać, gdzie jest kaszalot, a gdzie humbak?

To białucha, czyli wal biały. Białucha to nie jest delfin ☺.

To jest narwal. To, co mu wyrasta, wygląda jak róg, ale nim nie jest. To długi, skręcony kieł, który służy do rozbijania pokrywy lodowej.

Ich występowanie zależy oczywiście od pory roku. My jesteśmy na wyprawie we wrześniu, czyli późnym latem. Ciekawe, jakie zobaczymy zwierzęta! No i czy w ogóle je zobaczymy?!

– *Hello! Welcome on board!* (Cześć! Witaj na pokładzie!) – powiedział kapitan, pomagając mi wsiąść do środka.

– *Good morning!* (Dzień dobry!) – odparłam, wskakując na pokład.

– *Are you ready to go?* (Jesteś gotowa, żeby płynąć?) – spytał.

– *Yes, I am!* (Tak, jestem!) – powiedziałam przejęta. Byłam gotowa jak nigdy dotąd i bardzo spragniona nowych wrażeń. Tak naprawdę na wyprawę na wieloryby czekałam całe życie i chociaż jestem jeszcze mała, to od zawsze marzyłam, żeby je zobaczyć gdzieś hen, daleko za kołem podbiegunowym.

Czy ty też masz takie marzenia? Mówię ci, warto marzyć, a potem kiedyś te marzenia spełniać!

Kapitan ruszył, a łódka powoli wypływała z portu. Stałam z tyłu i patrzyłam, jak się oddalamy. Mewy latały mi nad głową, a statki i łódki stawały się coraz mniejsze i mniejsze. Wreszcie znaleźliśmy się na otwartym morzu i płynęliśmy wzdłuż brzegu, podziwiając miasteczko zbudowane na zboczu góry. Składało się z małych kolorowych domków, których okna zwrócone były w kierunku morza i wyglądały na wolno poruszające się góry lodowe. Podczas zachodu słońca wszystkie szyby w oknach zabarwiały się na pomarańczowo i pięknie współgrały ze spokojnym morzem.

Przypomniałam sobie ten widok z poprzedniego wieczoru, który właśnie spędziłam na jednej z takich skarp, czekając na zachód słońca.

Zaraz za kamienną górą, na której zbudowano miasteczko, rozpościerał się niesamowity widok. Śnieżnobiałe ogromne góry lodowe unosiły się na morzu na tle błękitnego nieba. Niektóre lśniły jak lód, odbijając promienie słoneczne. Inne mieniły się jak świeży śnieg. Przybierały rozmaite kształty i wyglądały tak majestatycznie i potężnie, jakby nic nie mogło im zagrozić.

Morze było spokojne. Nie było nawet małych fal, które mogłyby obijać się o góry lodowe.

– To dobrze… – powiedziałam. – Łatwiej będzie znaleźć wieloryba.

Wiesz, co miałam na myśli? Dlaczego łatwiej szukać wielorybów na spokojnym morzu, kiedy fale nie obijają się o góry lodowe?

Po pierwsze dlatego, że przy płaskiej powierzchni wody łatwiej zobaczyć, czy coś się z niej wynurza, a po drugie – gdy fale nie uderzają o lód, łatwiej usłyszeć wypuszczające powietrze wieloryby.

Kapitan zwolnił i wiedziałam, że już zaczynają się poszukiwania. Byliśmy niedaleko ogromnej góry lodowej, która przypominała mi ścianę lodu wchodzącą w głąb morza. Miała kilkadziesiąt metrów wysokości. Znacznie więcej znajdowało się pod wodą.

Przeszłam na przód statku i usiadłam na ławeczce. Była tak oszroniona, że mogłam na niej rysować lub pisać palcem, zeskrobując szron.

Łódka płynęła już coraz wolniej i prawie nie słyszałam

JAK SZUKAĆ WIELORYBÓW?

- Przez patrzenie na powierzchnię morza – wypatrywanie, czy coś się nie wynurza z wody albo nie wypuszcza powietrza.
- Przez słuchanie – nasłuchiwanie odgłosów wielorybów, może to być dźwięk wypuszczanego powietrza lub śpiew.
- Przez wąchanie ! ☺

Zdziwiony? Też się zdziwiłam. Jak można poszukiwać wielorybów węchem??? Ale można. Już ci mówię dlaczego.

Kiedy wieloryby oddychają, to wypuszczają powietrze przez otwór na głowie. Wtedy rozchodzi się też dość specyficzny zapach, niezbyt ładny. Kiedy więc jesteś na łódce i szukasz wielorybów, to zwróć uwagę na dziwne zapachy, bo może się okazać, że przepływają gdzieś obok i są na przykład po drugiej stronie łodzi, a ty ich nie widzisz!

silnika. Panowała niesamowita cisza. Oprócz nas nie było nikogo innego na morzu. Tylko góry lodowe, kra, ptaki i my. Nagle w oddali coś zobaczyłam. To była fontanna!

– *A whale!* (Wieloryb!) – krzyknęłam do kapitana, który szybko wyjrzał przez okienko.

– *Yes!* (Tak!) – odpowiedział i po chwili dodał: – *Hold on!* (Trzymaj się!)

Włączył szybko silnik i dodał gazu. Łódka ruszyła jak szalona, a ja przykucnęłam, trzymając ręką kaptur, który ciągle spadał mi z głowy. Po chwili łódka zwolniła i wyjrzałam za burtę.

Moim oczom ukazał się niesamowity widok. Dwa humbaki płynęły naprzeciwko mnie, wolno i dostojnie wynurzając się z wody. Wyglądały, jakby tańczyły, na przemian co chwila

wydychały ogromne ilości powietrza, czemu towarzyszyła fontanna wody. Oddechy były głośne i wolne. A odstęp między nimi wynosił około minuty.

Są, są!!! – krzyczałam w duchu. Nie chciałam nic mówić, by nie zepsuć tej fantastycznej chwili, na którą głównie składała się cisza przerywana oddechami wielorybów.

Nie były daleko. Może dwadzieścia metrów od naszej łódki. To ze dwadzieścia dużych kroków. Nasza obecność w ogóle im nie przeszkadzała, płynęły sobie wzdłuż łodzi. Chociaż

Skanuj kod QR
i zobacz, jak
oddycha wieloryb!

tak naprawdę dla nich byliśmy tylko małą łódeczką na morzu. Może dwa razy mniejszą od nich samych. Dlatego powinnam powiedzieć, że to my płynęliśmy wzdłuż nich, a nie one wzdłuż nas ☺.

JAK ROZPOZNAĆ HUMBAKA?

Humbaki to wieloryby, które mają długie boczne płetwy. Nazywane są więc też długopłetwcami. Są koloru szarego. Boczne płetwy mają jaśniejsze. Również ogon od spodu jest jaśniejszy, prawie biały.

Każdy humbak ma inny kształt płetwy ogonowej!

Naukowcy stwierdzili, że każdy humbak, ma inny kształt płetwy ogonowej. Nie chodzi oczywiście o całkiem odmienny kształt, ale o pewien wzór, zakrzywienia czy wgłębienia, które są dla niego charakterystyczne i dzięki którym można go rozpoznać. Wzory na płetwie ogonowej są jak linie papilarne u człowieka.

Zapamiętaj to, bo podczas wyprawy będę robiła zdjęcia wielorybom, a potem wspólnie spróbujemy odgadnąć, czy to był jeden i ten sam wieloryb, czy może dwa różne ☺.

Zobacz, narysowałam, jak rozpoznawać płetwę humbaka, kształt grzbietu na wodzie i strumień powietrza!

Humbaki płynęły wzdłuż góry lodowej przy samym jej brzegu. Kapitan powiedział, że właśnie w takich miejscach można je najczęściej spotkać. Nie wiem, czemu tak jest. Dlaczego lubią pływać przy górach lodowych?… Widocznie czują się tam bezpiecznie. A wiesz, czego się boją humbaki? Orek. Orki to bardzo mądre drapieżniki, które polują na humbaki, a szczególnie na ich młode. Kapitan powiedział, że właśnie niedawno w zatoce lodowcowej pojawiły się orki. Humbaki uciekły. Zniknęły i nie było ich przez kilka tygodni. Wróciły dopiero wtedy, gdy orki odpłynęły.

Siedziałam na statku i patrzyłam na humbaki. Miałam w ręku aparat i robiłam im zdjęcia. Nagle zanurzyły się, unosząc nad wodą tylną płetwę. Szybko zrobiłam serię zdjęć.

– *They are going down* (Poszły w dół) – powiedział kapitan, robiąc ręką ruch jak przy nurkowaniu.

Zobacz, jakie zdjęcia udało mi się zrobić!

Skanuj kod QR
i zobacz, jak
pływa humbak!

Zawsze, gdy unoszą tylną płetwę, oznacza to, że głęboko nurkują. Wynurzają się następnie po dziesięciu lub piętnastu minutach, ale może to nie być to samo miejsce, w którym zanurkowały. Z reguły jest inne!

Patrzyłam na wodę i myślałam: Zanurkowały... Pozostały po nich tylko kręgi na wodzie... Wystarczyło kilka sekund, a po ogromnym wielorybie nie było ani śladu...

Patrzyłam w miejsce, gdzie zniknęły kilka minut wcześniej, z nadzieją, że znowu się wynurzą. Ale bez skutku. Zaczęłam chodzić dookoła statku, wypatrując ich na morzu, ale też bez skutku. Tak minęło dziesięć minut, piętnaście, dwadzieścia... Kapitan chciał płynąć dalej, ale wciąż mówiłam, by poczekać jeszcze kilka minut, jeszcze chwilkę, jeszcze kilka minut... Czułam albo raczej wierzyłam, że zaraz się znowu pokażą. Niestety minuty mijały, a humbaków nie było.

W końcu postanowiłam popłynąć dalej. Ale moment! – pomyślałam. Mogły przepłynąć pod górą lodową i wynurzyć się z drugiej strony!

Góry lodowe przecież pływają na wodzie. Czyli unoszą się i nie są przyczepione do dna. Od spodu nie są płaskie jak kra, ale mogą być bardzo, bardzo duże i bardzo głęboko wchodzić pod wodę. Jednak dla humbaka to przecież nie jest żadna przeszkoda!

– *Do you want to go to the other side of the iceberg?* (Chcesz popłynąć na drugą stronę góry lodowej?) – spytał kapitan, chyba czytając mi w myślach.

– *Yes, I do!* (Tak, chcę!) – powiedziałam, ciesząc się, że jest to w ogóle możliwe.

Będziemy musieli okrążyć całą górę lodową. Poszukamy ich z drugiej strony.

Łódka ruszyła, a ja z nadzieją patrzyłam na wodę, szukając najmniejszego ruchu. Mogły być przecież w każdym miejscu i w każdej chwili się pokazać. Płynęłam wzdłuż ogromnego lodowca, aż tu nagle się skończył, a przed nami ukazało się wejście do ogromnej lodowcowej laguny.

Wpłynęliśmy do środka. Obejrzałam się za siebie. Wejście do laguny w porównaniu z całą laguną było bardzo małe.

– Ale super, że je znaleźliśmy! – powiedziałam zachwycona. Laguna wyglądała tajemniczo. W niektórych miejscach w górach lodowych były jaskinie i przejścia, w które można było wpłynąć tylko malutką łódeczką. Nasza niestety była

za duża, żeby tam się zmieścić. Patrzyłam i zastanawiałam się, co może się tam kryć. A czy ty chciałbyś wejść to takiej lodowej jaskini? ☺ Ja bardzo! Następnym razem weźmiemy jeszcze mniejszą łódkę, żeby lepiej zbadać nieodkryte miejsca!

Płynęłam w lagunie i zastanawiałam się, czy tu spotkam wieloryby. Nagle usłyszałam odgłos wydychanego powietrza.

– Są!!! ☺ – Ucieszyłam się i wyjrzałam za burtę. Były wprost przed nami i wolno kołysały się na wodzie. Po chwili uniosły płetwy ogonowe i zanurzyły się. Myślałam, że znowu popłynęły gdzieś daleko, ale zaraz wynurzyły się po drugiej stronie mojej łódki.

...Nagle zaczęły śpiewać. Nie wierzyłam własnym uszom! Nigdy nie sądziłam, że uda mi się usłyszeć na żywo śpiew wielorybów. Nawet nie przypuszczałam, że tak wyraźnie słychać go na powierzchni wody! Zamknęłam oczy i wsłuchiwałam się w te fantastyczne dźwięki. Poczułam magię i spokój. Śpiew sam w sobie był przepiękny i głęboki, dodatkowo odbijał się od lodowych ścian laguny, tworząc fantastyczne echo. Stałam na statku i miałam wrażenie, że wieloryby śpiewają dla mnie, że właśnie do mnie kierowane są te odgłosy. Nagle po drugiej stronie łodzi wynurzyły się kolejne trzy wieloryby! Wszystkie śpiewały, dając piękny koncert w lodowcowej lagunie, którego chyba żaden instrument na świecie nie zdołałby powtórzyć. Przeszły mnie ciarki i wiedziałam, że tej chwili nie zapomnę już do końca życia. Poczułam niesamowitą więź z morzem, jakby mnie zaczarowały. To było niepowtarzalne przeżycie! I wiesz, co myślę? To fantastyczne, że jesteśmy częścią tego magicznego świata!

Zobacz! Podczas mojej wyprawy na wieloryby zrobiłam kilka zdjęć płetw ogonowych. Jak myślisz, czy to ten sam humbak? Czy dwa humbaki?

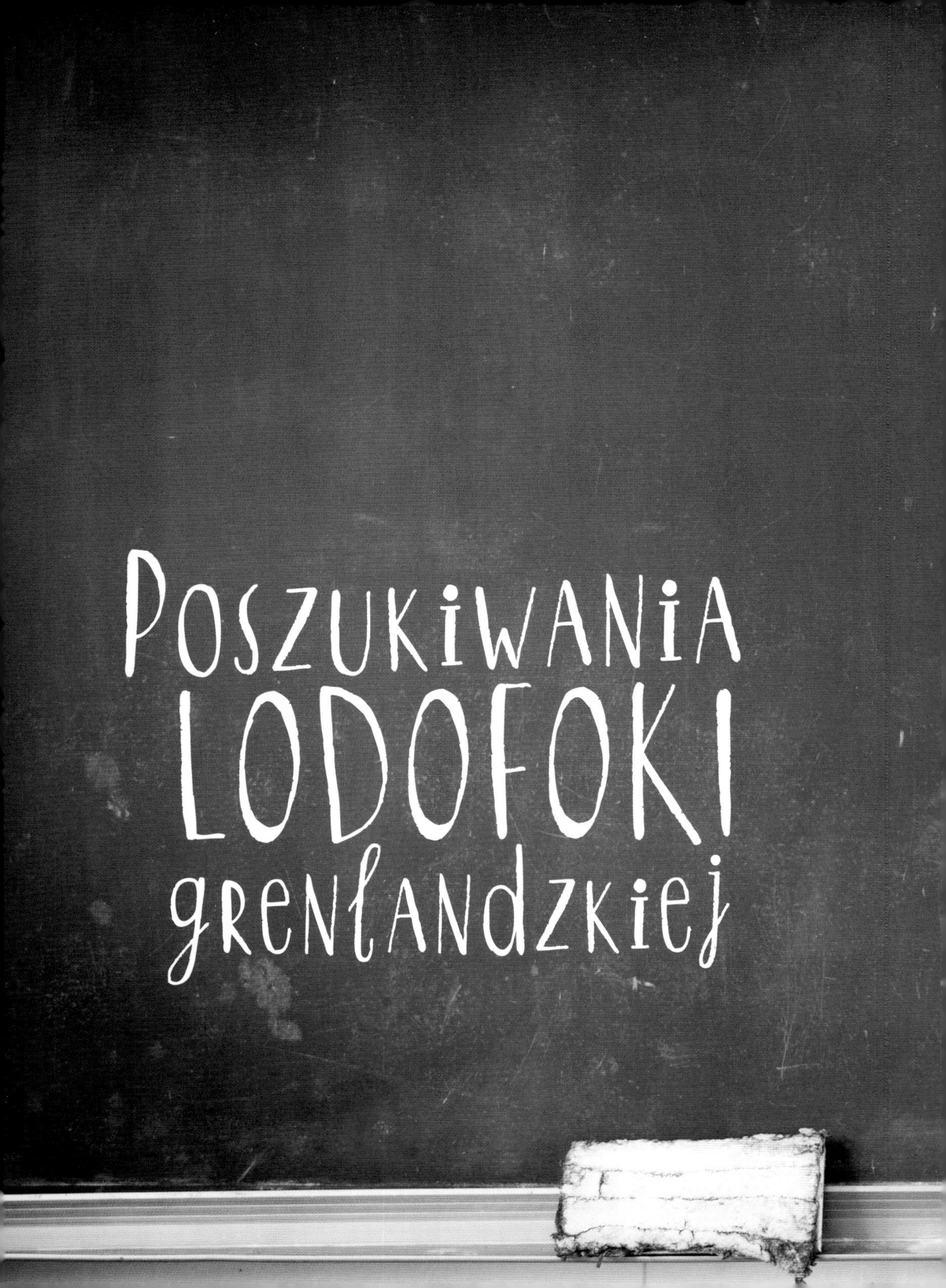

Poszukiwania lodofoki grenlandzkiej

Cześć! Dziś zostaniemy jeszcze na Grenlandii, bo jest tu naprawdę bardzo dużo rzeczy do zobaczenia! Ponieważ mieszkamy blisko morza, postanowiłam wyruszyć na poszukiwania najsłodszej foki na świecie, czyli młodej lodofoki grenlandzkiej!

Ona wygląda tak.
Czy nie jest najsłodszą foką na świecie? ☺

DOWIEDZMY SIĘ O NIEJ CZEGOŚ!

Lodofoka jest ssakiem, czyli po urodzeniu ssie mleko swojej mamy. Jest też morskim drapieżnikiem, co oznacza, że poluje w morzu (oczywiście, jak już podrośnie na tyle, że mama zacznie ją uczyć polować na ryby).

Lodofoka po urodzeniu jest cała biała! Zaczyna zmieniać kolor futerka, jak ma około czterech tygodni.

Tak wygląda dorosła lodofoka. Jest szara.

A tak wygląda młoda lodofoka. Jest biała.

Zobacz! To malutka lodofoka, która właśnie się urodziła!

Zobacz, ta lodofoka udaje, że jej nie ma! ☺

Kogo boją się lodofoki? Przed kim się ukrywają? Jak myślisz? Popatrz na to zdjęcie... Mówi samo za siebie. Myślisz, że ten miś podziwia widoki? Czy tak jak ja szuka fok???

A JAK MYŚLISZ? GDZIE BĘDZIEMY SZUKAĆ LODOFOKI?

Ja myślę, że najlepiej będzie jej szukać na lodzie.
Bo to przecież LODO-FOKA ☺.

Mamy szczęście, bo Grenlandia jest w prawie 80 procentach lądolodem! Czyli lodem leżącym na lądzie. Sama nazwa na to wskazuje LĄDO-LÓD ☺.

Popatrz na mapę Grenlandii: tam gdzie jest biało, to jest lądolód, czyli lód, który pozostaje tam nawet w lecie. A tam gdzie jest ciemny kolor na mapie, to może być na przykład tundra, która w lecie jest zielono-brązowa, a w pozostałych porach roku jest pokryta śniegiem.

Musisz wiedzieć, że z lądolodu w niektórych miejscach odchodzą w kierunku morza „jęzory". To są jęzory lodowca. Jest to taka warstwa lodu, która się bardzo wolno przesuwa. Jak już dotrze do morza, to odrywają się od niego kawałki lodu i tworzą dryfujące góry lodowe.

Popatrz na mapę!

To lodowiec, od którego odrywają się kawałki gór lodowych i wypływają na morze!

OCEAN ARKTYCZNY
Morze Grenlandzkie
Morze Baffina
Grenlandia
Morze Labradorskie
Cieśnina Duńska
OCEAN ATLANTYCKI

TO JEST PŁYWAJĄCA GÓRA LODOWA, KTÓRA PŁYNIE W KIERUNKU MORZA.

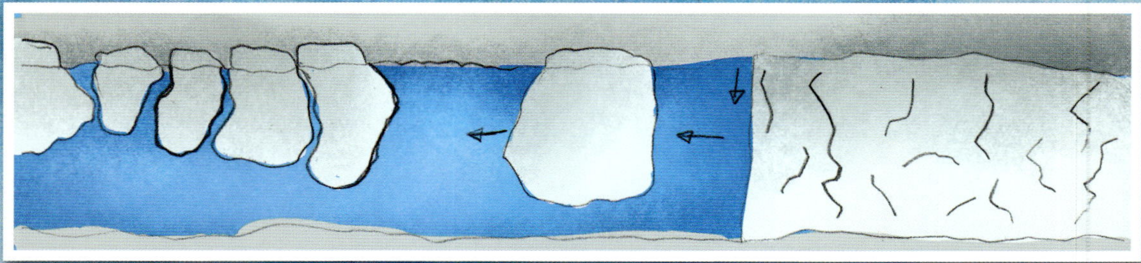

Stąd odrywają się kawałki gór lodowych.

My pójdziemy szukać lodofok na morzu – tam, gdzie gromadzą się ogromne ilości kry i gór lodowych!

A nasza przygoda zaczęła się tak...

Zanim wyruszyłam w podróż, postanowiłam zebrać potrzebne mi informacje do poszukiwań. Poszłam więc w kierunku portu, aby porozmawiać z rybakami. Oni wypływają na morze i najlepiej wiedzą, gdzie szukać fok. Oczywiście wiem, że fok należy szukać na morzu, na brzegu oraz krach lodowych, ale pływa tu ich tak dużo, że trudno byłoby do każdej podpłynąć i popatrzeć, czy nie ma tam foki. Trzeba się poradzić!

Szybko ustaliłam w porcie, że fok muszę wypatrywać na krze lub bardziej „płaskich" górach lodowych po drugiej stronie miasteczka i gór. Czekała mnie więc długa wyprawa! Rybak powiedział, bym szła żółtym szlakiem, czyli takim oznaczonym żółtymi znakami, aż dojdę na sam szczyt wzgórza. Tam znajdę kopiec usypany z kamieni, częściowo

pomalowanych na żółto. Mam go minąć i skierować się na prawą stronę skarpy. Muszę przy tym bardzo, ale to bardzo uważać, by nie spaść w dół!

Podziękowałam rybakowi za rady i informacje i wyruszyłam. Zastanawiałam się, czy łatwo będzie wypatrzyć lodofokę grenlandzką. Rybak podpowiedział mi, bym wspięła się na zbocze wzniesienia i stamtąd wypatrywała fok. Z góry będzie łatwiej je zobaczyć. Z dołu – czyli na przykład z brzegu – byłoby to trudne, bo góry lodowe nie są płaskie i zasłaniają się nawzajem.

Zobacz, jak obserwuje się góry lodowe z brzegu.
Są tak wysokie i nierówne, że jedna zasłania drugą!
W ten sposób trudno cokolwiek na niej zauważyć, prawda?

GÓRY LODOWE MOGĄ PRZYBIERAĆ NIESAMOWITE, A CZASAMI NAWET FANTASTYCZNE KSZTAŁTY. POPATRZ NA TE GÓRY LODOWE. CO CI PRZYPOMINA ICH KSZTAŁT?

Ta góra lodowa przypomina mi arktycznego smoka. Albo smoka, który został zamrożony! ☺

Co ci przypomina kształt tej góry lodowej?

Ta góra lodowa wygląda jak zjeżdżalnia.

Skanuj kod QR i zobacz, jaki nagrałam film i jakie niesamowite kształty mogą mieć góry lodowe!

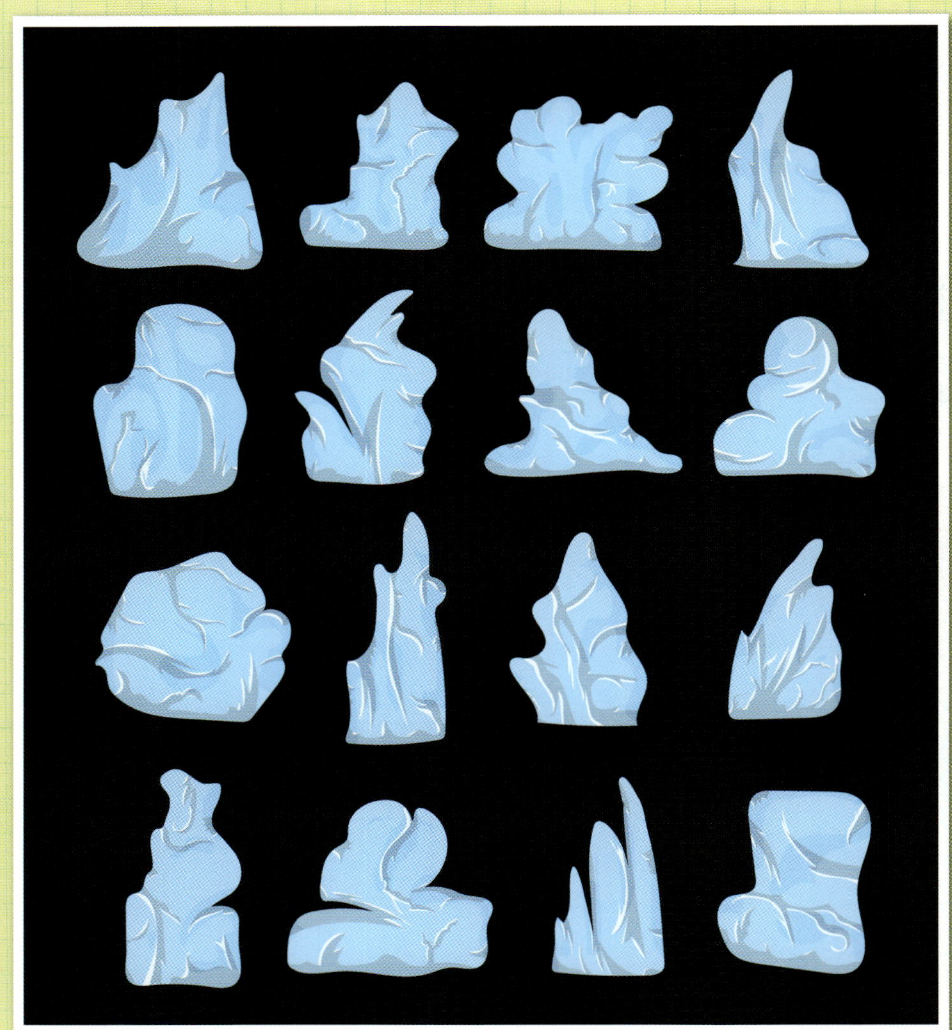

GÓRY LODOWE MOGĄ MIEĆ NIESAMOWITE KSZTAŁTY.

Myślę, że każda jest tak wyjątkowa, że ich formacje rzadko się powtarzają! Niektóre mają w środku nawet otwory, jak jaskinie, a inne przypominają zjeżdżalnie. A jak by wyglądała twoja wymarzona góra lodowa? Jakbyś mógł jakąś wymyślić? Ja moją właśnie narysowałam.

MOJA WYMARZONA GÓRA LODOWA

To jest wielka i szeroka zjeżdżalnia, która wpada do morza.

To są jaskinie z tunelami w środku. Dwa są ze zjeżdżalnią, a trzeci jest z półkami lodowymi, gdzie można zejść i przeskoczyć na zjeżdżalnię.

Ta drabinka to skocznia. Jak się skoczy, to wpada się na lodową zjeżdżalnię bez boków i jak się zjedzie, to się ląduje na krze.

To jest przekrój tunelu. Wchodzi się do dziury, a potem zjeżdża się po lodzie i wypada się do wody.

Lodowy ser – tu są różne korytarze. Niektóre z nich prowadzą na zewnątrz, a tylko jeden prowadzi na górę sera. Jak się wejdzie na górę, to ma się dwie opcje: albo mała zjeżdżalnia, albo superlodowa rura.

To jabłko, które jest nadgryzione, jest całe z lodu. Ma na dole wejście. W środku labirynt. Kiedy się wyjdzie na górę z labiryntu, wtedy się zjeżdża z lodowego liścia.

– Znajdę bezpieczne miejsce na skarpie i tam zrobię moje obserwatorium! – Powiedziałam zadowolona.

Szłam przez góry i wspinałam się na skały, tak jak prowadził mnie żółty szlak. Temperatura na szczęście była na plusie i nie padał deszcz, więc skały nie były śliskie ani pozamarzane. Całe wzgórza porośnięte były roślinami w kolorze rdzawo-bordowym. Spojrzałam w górę i zobaczyłam znak, o którym wspominał rybak.

Wspięłam się do żółtego znaku i zobaczyłam niesamowity widok! Jęzor lodowca i morze, po którym dryfowały ogromne ilości gór i brył lodowych! Widok był przepiękny.

– Dobrze, że rybak poradził mi wspiąć się na górę. – Stwierdziłam. – Stąd łatwiej będzie wypatrywać zwierząt.

Ruszyłam przed siebie, chociaż wiedziałam, że nie mogę daleko zajść. Przede mną była skarpa schodząca wprost do morza. Musiałam bardzo uważać, by nie spaść, więc delikatnie stawiałam każdy krok. Bałam się też, że wpadnę w „roślinny most”. A wiesz, co to jest? To takie miejsce między na przykład dwoma skałami, taka przepaść, lub dziura, której nie widać, bo jest zarośnięta. Jak staniesz na niej, to ona pod wpływem twojego ciężaru zarywa się, a ty wpadasz w otwór.

Musiałam iść więc powoli i zanim stanęłam całym ciężarem ciała w jedno miejsce, upewniałam się, czy się przypadkiem pode mną nie zarwie. Wreszcie dotarłam na ubocze. Schodziłam w dół, szukając dobrego miejsca do obserwacji kry i gór lodowych. W końcu usiadłam i patrzyłam w dal…

Powietrze było chłodne i zaczął wiać wiatr. Zaciągnęłam mocniej kaptur i cały czas wypatrywałam najmniejszego ruchu na krze lub w wodzie. Pomyślałam, że mogę przecież zaobserwować też mamę fokę, która będzie akurat płynęła do swojego dziecka, żeby je nakarmić. Foki są szare i z góry na pewno uda mi się je zauważyć. Patrzyłam tak, i patrzyłam… aż nagle coś zobaczyłam!

Obejrzyj film i pomóż mi zgadnąć, co to za zwierzęta płyną po morzu! ☺
Skanuj kod QR i oglądaj!

Zauważyłam jakieś kropki na wodzie i wystające „główki" nad powierzchnią wody. – Jeju... – Powiedziałam. – Co to jest?

Czy już wiesz, jakie zwierzęta udało nam się zobaczyć? To były foki! Jak tylko nas zobaczyły, to zanurkowały pod wodę. Zostały po nich tylko takie ślady na morzu.

– Co za fantastyczne przeżycie... – Westchnęłam. Jeżeli są dorosłe foki, to muszą być i malutkie. Usiadłam więc i wpatrywałam się w lód. Siedziałam tak, aż do zachodu słońca i wiesz co? Wydaje mi się, że w niektórych miejscach na lodzie coś się ruszało...coś, co było „focze", włochate i białe ☺.

Zobacz, ktoś też siedzi
na górze i wypatruje fok!

Skanuj kod QR i oglądaj
zachód słońca!

Słońce już było bardzo nisko. – Jak zajdzie, zrobi się ciemno! – Stwierdziłam. – A mnie czeka jeszcze droga powrotna. Musiałam szybko ruszyć z powrotem do domu. Wracałam i patrzyłam na morze pokryte lodem, nad którym już wzniósł się księżyc.

Zaraz potem zaczęły wyć psy...
A może to były wilki.... ? ☺

PRZYJDŹ NA SPOTKANIE AUTORSKIE **Z NELĄ**

I ZDOBĄDŹ „LODOWE PIECZĄTKI”!

Spotkaj się z Nelą!

Wydawnictwo Burda Książki oraz Nela serdecznie zapraszają wszystkie dzieci i dorosłych na spotkania autorskie z Nelą organizowane w różnych miejscach w Polsce. Aby dowiedzieć się, gdzie i kiedy można się spotkać z Nelą, wejdź na stronę **www.facebook.com/podrozeneli** i kliknij w zakładkę „Wydarzenia".

Organizacją spotkań autorskich zajmuje się Wydawnictwo Burda Książki, e-mail: ksiazki@burdamedia.pl